P9-DCZ-607

РУССКИЙ
ВИРАЖ
КУДА ИДЕТ
РОССИЯ?

Николай
Злобин
Владимир
Соловьев

РУССКИЙ ВИРАЖ

КУДА ИДЕТ РОССИЯ?

ЭКСМО
Москва
2014

УДК 355/359
ББК 63.3
С 60

Художественное оформление *И. Озерова*

В коллаже на обложке использована фотография
Н. Злобина: Александр Вильф / РИА Новости
и фотография В. Соловьева: фотограф Ш. Юлдашев

Соловьев, Владимир Рудольфович.

С 60 Русский вираж. Куда идет Россия? / Соловьев В.Р., Злобин Н.В. — Москва : Эксмо, 2014. — 320 с. — (Соловьев Владимир: Провокационные книги известного ведущего).

ISBN 978-5-699-73222-7

Эта книга — о сегодняшней России. Куда и почему она движется? Какие у нее возможности, проблемы, перспективы и шансы? На что сделал ставку президент Владимир Путин, придя на третий срок? Сегодня многим кажется, что наступает русская весна. Но появляются новые серьезные вопросы. Станет ли крымская история поворотной точкой развития новой России и всей мировой политики? Нарастает новое резкое противостояние между Россией и Западом. Чем это чревато для обеих сторон? И вопрос, не закончится ли русская весна новыми заморозками, не случится ли разворот обратно в зиму, причем как в самой России, так и во всем мире, пока остается открытым... Другими словами: куда ведет Россию новый вираж?

УДК 355/359
ББК 63.3

ISBN 978-5-699-73222-7

От авторов

Мы пишем эту книгу в момент развития кризиса на Украине и нарастания острого противостояния между Россией и Западом. Но наша книга не про события на Украине, хотя о них мы тоже говорим. Наша книга о сегодняшней России. Про то, куда и почему она движется, какие у нее возможности, проблемы, перспективы и шансы. Станет ли возвращение Крыма поворотной точкой развития новой России и мировой политики? Сегодня многим кажется, что наступает русская весна. Так ли это? И если это так, то будет ли эта весна продолжительной, не закончится ли новыми заморозками, не случится ли разворот обратно в зиму, причем как в самой России, так и во всем мире – поиску ответов на эти вопросы мы посвящаем нашу книгу.

Москва–Вашингтон,
февраль–апрель 2014 г.

КОНЕЦ ТАНДЕМА

Рокировка

Осенью 2011 г. десять тысяч человек собрались в Москве, чтобы утвердить список «Единой России» на выдвижение в Государственную думу. Речь, как всегда, шла о партийной тройке, но в этот раз бюллетени были довольно странными: под номером один никто не был указан — стоял прочерк. Десять тысяч человек приехали из разных городов. Конечно, как всегда бывает на такого рода мероприятиях, ряд речей был заготовлен заранее. Атмосфера была приподнятая. Как-никак, съезд — это всегда съезд, тем более правящей партии.

Именно в этот момент особенно часто заходили разговоры о том, что же будет потом, пойдет ли Дмитрий Анатольевич на второй срок, или вернется Владимир Владимирович, или вдруг появится некий третий кандидат. Путин интриговал западное сообщество фразами «вам понравится», Медведев говорил о том, что ему нравится заниматься президентской работой, но каждый подчеркивал, что у них очень хорошие отношения друг с другом и полное взаимопонимание.

Речь о третьем кандидате в том или ином виде заводилась не раз, хотя и тут звучало плохо замаскированное признание приоритета мнения Путина. Вроде как если Путин захочет, то, может быть, будет и кто-то третий. Кого только ни называли этим третьим – начиная от Валентины Матвиенко, которая, услышав это предположение от Алексея Венедиктова, схватилась за сердце и сказала: «Боже, боже, не говори так!» – и заканчивая кандидатурой Дмитрия Козака. Но по большому счету это как раз была такая ситуация, когда в качестве третьего можно было назвать человек двадцать, и все понимали, что при желании Путина кандидатом мог быть выдвинут любой из них.

Одного из сотрудников администрации президента Медведева спросили: кто, по его мнению, пойдет на президентские выборы? Он ответил очень философски: «Посмотрите на график. У президента график рабочий, у премьера – избирательный». Действительно, президент постоянно находился в рабочих поездках, количество их было феноменальным, и понять, каким образом человек, пусть даже тренированный, пусть даже относительно молодой, способен выдержать эти бесконечные перелеты и напряжение, было сложно.

В свою очередь, график премьера был в гораздо большей степени, если можно так выразиться, рассчитанным на восприятие широкой аудитории. И конечно, в итоге это не могло не сказаться и на рейтингах каждого из политиков. Традиционно рейтинг Путина был чуть выше; в какой-то момент казалось, что рейтинг Медведева может подняться до сравнительно близких значений, но летом 2011 года, после изменения графиков тандема, стало ясно, что разница по крайней мере перестала сокращаться.

Но любые домыслы приобрели совершенно иное звучание после того, как эти два человека поразили воображение всей страны. «Мы посовещались и хотим довести до вашего сведения, что я решил возглавить партию «Единая Россия» на выборах, – сказал Медведев, – выдвинуть в кандидаты на должность президента Путина Владимира Владимировича, а в случае его победы на выборах я хотел бы заняться практической работой и стать премьер-министром».

Наверное, если бы сообщение ограничилось только этим, отношение было бы несколько иным. Но Дмитрий Анатольевич пояснил, что, оказывается, о такой рокировке они с Путиным договорились еще четыре года назад. Возник справедливый вопрос: почему же партия, лидеры которой, оказывается, договорились о чем-то еще четыре года назад, ничего не знает, а десять тысяч человек пришли, чтобы посмотреть на прочерк в бюллетенях?

Нет, конечно, с позиции любой партии более чем разумно, когда заранее честно объявляется:

этот человек поведет партию на выборы, а того мы увидим кандидатом в президенты. Это благородно, цивилизованно, и, пожалуй, было бы даже хорошо, если бы каждая из политических сил, идущих на выборы, поступала таким же образом. Тем более что «Единая Россия» действительно претерпела большое количество демократических изменений, начиная с самого, пожалуй, важного — идеи проведения праймериз, которая резким образом сокращала возможность «денежных мешков» покупать места в партии.

Плюс — путинская идея «Народного фронта», которая тоже не могла не повлиять благотворно на состав кандидатов в депутаты, поскольку большое количество людей, которые по тем или иным причинам не хотели ассоциироваться с партией «Единая Россия», как, например, доктор Леонид Рошаль, получили возможность тем не менее объединиться под именем Путина и участвовать в парламентской кампании.

И все же возникла легкая неловкость. Несколько раз после этого президент Медведев, пользуясь средствами массовой информации, пытался объяснить свой поступок — то в беседе с руководителями телевизионных каналов, то с блогерами, и каждый раз суть сводилась к тому, что «мы давние друзья, мы ведем единую политику, но рейтинг у Путина был чуть выше». Ну конечно, рейтинг у Путина был чуть выше, и тому есть как объективные, так и субъективные причины. Однако в любом случае довольно странно мерить рейтинг до начала собственно избирательной кампании. Да и Запад отнесся к ситуации без достаточного понимания – не случайно Кондолиза Райс высказалась об этой рокировке в высшей степени негативно, заявив, что демократия превращена в России в пародию на самое себя.

Решение Путина и Медведева поменяться местами выглядело, с одной стороны, очевидным, а с другой – достаточно неожиданным. Не то чтобы Путин не вызывал доверия – рейтинги и опросы по-прежнему были очень высокие. И не то чтобы Медведев сказал что-то не так. Просто казалось, что Медведев скорее ассоциирует себя с какой-то иной силой. Конечно, после того как он сказал, что он плоть от плоти «Единой России», вопросы отпали. Однако до этого вся риторика была скорее направлена на необходимость модернизации партии и борьбу с чиновничеством в «Единой России».

За все годы президентства Медведева теория, что он может просто формально поменяться с Путиным местами, практически не обсуждалась, и то, как повернулись события, оказалось большой неожиданностью для российской политической элиты, а главное, для тех неформальных центров силы, которые привыкли осуществлять реальное управление страной через правительство. Медведеву пророчили либо второй президентский срок, либо должность в сфере внешней политики, безопасности, в судебной системе, преподавательскую деятельность или представительство в какой-либо международной организации. То, что он вдруг займет пост главы правительства, многих повергло в настоящий шок.

Сентябрь 2011 года стал началом новой эры в российской политике. Оказалось, что в России одновременно появились две «хромых утки» – в роли одной из них выступало правительство, а другой – администрация президента. Было совершенно очевидно, что при переходе Медведева в Белый дом, а Путина в Кремль простой замены вице-премьеров на заместителей руководителя администрации президента и советников президента не произойдет.

Спокойней всех себя чувствовал Сергей Собянин, который вовремя успел выйти из состава правительства и оказаться мэром Москвы. Но ряд людей ощутили себя крайне неуверенно, а некоторые позволили себе довольно непродуманные заявления. При этом эмоциональный комментарий Аркадия Дворковича в *Twitter* по поводу выдвижения Путина в президенты не повлек за собой никаких административных шагов, а вот после того как Алексей Кудрин заявил из-за границы, что он не видит себя в составе правительства под руководством нового премьера Медведева, последовало очень и очень жесткое выяснение отношений, неоднократно транслировавшееся по телевидению и послужившее потом основой для многих анекдотов. Однако эмоции Алексея Леонидовича и людей из его ближайшего окружения никак нельзя было назвать анекдотичными.

Еще один любопытный нюанс: в этот момент в Кремле произошла смена «серых кардиналов». Когда должность Владислава Суркова занял Вячеслав Володин, это ознаменовало принципиальное изменение во внутренней политике. Подход Володина технологически кардинально отличается от подхода Суркова. И это отличие отразило в первую очередь изменение настроений Путина – ведь очевидно, что смена людей из столь близкого круга, так сильно влияющих на внутреннюю политику, невозможна не только без личного одобрения президента, но и без изменения его внутреннего состояния.

В сентябре 2011 года собрался так называемый Ярославский форум, который принято ассоциировать с Дмитрием Медведевым – там Медведев обычно делает важные заявления, выступает с мировоззренческими речами, приглашает разнообразных гостей, лидеров российской и мировой элиты, которые тоже выступают с речами или, по крайней мере, комментируют то, что сказал Медведев.

Форум существует уже несколько лет, один из авторов является его постоянным участником и играет там достаточно активную роль. В 2011 году форум прошел до того, как было объявлено о перестановке в тандеме, так что интрига сохранялась. Тема форума была: «Современное государство: стандарты демократии и критерии эффективности». Надо сказать, Медведев выступил там с весьма либеральной речью. Это было крайне интересно, потому что, по всей видимости, к этому моменту вопрос о том, кто станет следующим президентом России, был уже решен.

Ярославский форум вообще напоминает огромную драматическую сцену, на которой российские эксперты и представители истеблишмента выступают перед мировым сообществом. В тот год сцена оказалась трагически вырвана из-под ног участников — накануне их приезда разбился самолет с ярославской командой «Локомотив», и город был в трауре. Более того, форум проходил в штаб-квартире этого ярославского клуба, и, конечно, все там напоминало о трагедии. Разумеется, это отразилось и на настроении участников Ярославского форума, включая Медведева, который, прилетев в Ярославль, сразу отправился на место катастрофы, и лишь оттуда поехал на форум. Видно было, что он совершенно раздавлен случившимся, и в столь же ужасном психологическом состоянии находилась вся его команда.

Тем не менее Медведев собрался и произнес очень интересную речь, притом говорил, безусловно, по-президентски, а не как премьер-министр, изложив свое видение эволюции российского государства как минимум на ближайшее десятилетие. Одно из положений речи прозвучало почти революционно; смысл его сводился к тому, что в России государство должно двигаться за обществом, а не общество за государством.

Это крайне принципиальная вещь, абсолютно западная, американская, если угодно, постановка вопроса. К сожалению, выступление не вызвало в обществе достаточного резонанса и по большому счету оказалось быстро и незаслуженно забыто — атмосфера недавней трагедии сыграла свою печальную роль, — однако в целом складывалось впечатление, что Медведев выступал, не думая о том, что через две недели он вдруг окажется кандидатом на пост премьер-министра.

При всем том Ярославский форум нагляднейшим образом продемонстрировал то, с каким поразительным чутьем российские чиновники реагируют на малейшие изменения в политической среде. По сравнению с предыдущими форумами в 2011 году в Ярославль приехало очень мало представителей российского истеблишмента — выглядело это так, словно Медведева уже сбросили со счетов.

Годом раньше буквально за несколько дней до отставки на Ярославский форум приехал Юрий Лужков — никто еще ничего не знал, Лужков еще оставался всесильным мэром Москвы, одним из самых влиятельных людей в стране, да и вообще в России. Юрий Михайлович ходил по заполненному людьми фойе, а вокруг него в радиусе двух метров было пустое пятно, которое передвигалось по помещению вместе с ним. И даже в забитом под завязку зале, где люди стояли вдоль стен и сидели на ступеньках, около Лужкова было два свободных места — никто не хотел сидеть с ним рядом, пока организаторы не посадили туда иностранцев, которым было все равно. И по этому отношению элиты было видно, что Лужков обречен.

Форум 2011 года создавал ощущение дежавю: опять-таки ничего не было известно, Медведев чувствовал себя довольно уверенно, но то, как участники форума смотрели на Дмитрия Анатольевича и слушали его, недвусмысленно сигнализировало, что его шансы резко сокращаются, хотя, разумеется, никто ничего не мог бы сказать с определенностью. К примеру, во время выступления Медведева министр иностранных дел Сергей Лавров давал в фойе интервью одному из российских каналов, и выглядело это поразительным и откровенным пренебрежением — в конце концов, можно было дать это интервью в Москве, или пусть даже в Ярославле, но через полчаса. Большинство министров и многие лидеры партий вообще не приехали на форум — иными словами, было ясно, что Медведев как президент уходит в политическое небытие, и хотя никаких объявлений на этот счет не было сделано, призрак политической смерти уже витал над ним.

Куда податься бизнесмену в России?

Что показал результат существования тандема в России? Самое главное – можно уверенно сказать, что этот опыт скорее неудачный. За время президентства Дмитрия Медведева не случилось качественного сдвига – не произошло изменения и улучшения политической системы, атмосферы в обществе, экономической ситуации. С другой стороны, нельзя не отметить, что Россия за счет слаженной работы Думы, президента и правительства легче всех из развитых стран на том этапе прошла мировой кризис, хотя входила в него в наихудшем из них положении, и вышла с фантастическими макроэкономическими показателями – которые, правда, не сильно радуют рядового россиянина, потому что он не видит, чем это принципиально влияет на его жизнь. Заметно только то, что не стало совсем плохо – нет галопирующей инфляции.

Мы не раз говорили о том, что институт частной собственности в России так и не утвердился. И это мешает формированию и правильного менталитета, и политической культуры, и гражданского общества. Это взаимосвязанные вещи. Частная собственность, суд, демократия – это треугольник, который всегда существует вместе и одновременно. Суд нужен, чтобы защищать частную собственность, демократия нужна для обеспечения существования независимого суда. Потому что демократия работает только при наличии независимого суда, который работает для защиты частной собственности.

Кто в России сегодня может наладить разумное производство? Либо родной брат губернатора, либо его жена, либо дети. Любой другой вариант практически невозможен. При этом государство пытается помочь отдельным отраслям, и результаты бывают вполне позитивными — например, в сельском хозяйстве. Как только государство обратило на него внимание, начался настоящий бум.

Надо сказать, что ни в СССР, ни в постсоветской России до последнего времени не было такого резкого прорыва в этой сфере. Туда пошли огромные инвестиции — да, в нарушение правил ВТО, да, с коррупцией, откатами и т.д. Но как бы то ни было, они привели наконец к появлению некоего подобия эффективного сельскохозяйственного производства, пусть и с огромными провалами, проблема постепенно решается, министр сельского хозяйства больше не «расстрельная должность», как шутили в Советском Союзе, Россия начинает потихоньку вытеснять экспортные продукты отечественными и даже активно продает зерно и прочую продукцию за рубеж.

При всем том трагедия такого подхода очевидна. Во-первых, государство убеждается в том, что нет никакой частной инициативы, это все миф. Мы обеспечим помощь сельскому хозяйству, мы обеспечим помощь военно-промышленному комплексу, выдав 20 триллионов рублей до 2020 г. через вице-премьера Рогозина, и давайте развиваться. Но ведь это все равно несовременный подход. Государство не занимается созданием среды, а просто само начинает говорить, кто хороший, а кто плохой.

Если взять пример из области демографии, то вместо того чтобы создать условия, способные обеспечить взрыв рождаемости, государство как бы регулярно занимается ЭКО, каждый раз говоря людям: не любите друг друга, не встречайтесь, не рожайте детей — сейчас мы сделаем операцию, искусственно вас оплодотворим; правда, мы не знаем, каким получится этот ребеночек, но вы не волнуйтесь, мы все равно все сделаем сами, вам в таких сложных вопросах доверять нельзя.

Во-вторых, когда мы говорим о роли государства в развитии сельского хозяйства или экономики в целом, речь на самом деле идет о конкретных чиновниках, которые принимают решения от имени государства, не обладая сами этой собственностью и не неся лично финансовой ответственности за те решения, которые они принимают. При распределении государственных средств у чиновника появляется огромный соблазн, поскольку он распределяет, как известно, не свои деньги и в их распределении не обязательно исходит из экономической целесообразности. В любом случае само субъективное право чиновников распоряжаться государственными деньгами по сути является основой коррупции, взяток, откатов и т.п.

Россия – редкая страна, в которой существуют по крайней мере две валюты. С одной все понятно – это рубли, доллары, евро. Вторая же гораздо более ценна – это разрешение. Действует своего рода политика двух ключей. У тебя может быть сколько угодно денег, но если тебе не дали добро на проведение той или иной операции, даже не надейся ее осуществить. Ни один крупный актив нельзя купить, не получив предварительно «добро» на приобретение этого актива, неважно, есть деньги или нет. Метод, конечно же, абсолютно дикий, непонятный и странный. Доходит до того, что зачастую западные министры просят руководителя страны выступить в роли «крыши», чтобы не допустить наезда и отбора собственности со стороны нерадивых или слишком ретивых подчиненных.

Самое интересное, что именно эту проблему ни один из кандидатов в президенты и ни одна из партий даже не попытались озвучить, видимо, полагая, что можно плохого конкретного чиновника заменить на хорошего, и все будет замечательно. По-прежнему считается, что есть абсолютные меры, применение которых все исправит.

Так что если рассматривать тандем как экстренное средство для преодоления кризиса и принятия жестких экономических решений, то краткосрочно он дал положительные результаты. Но если рассматривать его как форму государственного устройства, то можно сказать, что эта форма работает скорее негативно.

Экономические задачи во многом оказались заложниками внутренних задач: не позволить себя рассорить, не создавать внутренней конкуренции. Результат — замораживание и зачистка политической поляны: не в плане уничтожения политических конкурентов, а в плане создания неравновесных конкурентных условий по доступу к СМИ, а главное — по восприятию критики. СМИ стали превращаться во что угодно, но только не в четвертую власть, — никого не волновало, что говорят журналисты. И сами они никаких «расследований» не проводили: ценилась только личная преданность и попытки не вскрыть нарушения, а угадать, к каким последствиям это приведет — поссорит или не поссорит тандем.

В итоге возникли два «клуба неприкасаемых», и возможность получения «крыши» от одного из этих клубов привела к полному отсутствию реальной борьбы с коррупцией, дикому разрастанию голодного чиновничества — голодного не в том смысле, что ему нечего есть, а в том, что его жадность переходит все границы. Поэтому СИЗО и тюрьмы забиты предпринимателями, у которых отбирают заводы и в принципе любые прибыльные предприятия, притом в роли рейдеров выступают структуры, от которых прежде такого никто не мог ожидать.

Примером стала, в частности, история, потрясшая весь деловой мир, — попытка отобрать аэропорт Домодедово. В роли рейдеров там и вовсе выступали высшие эшелоны российской власти, выступившие с предложением немедленной национализации хорошо работающего, эталонного бизнеса. Таких явлений не было в предыдущие годы, и то, что при президенте Медведеве рейдерство дошло до такого уровня, конечно, сильно ударило и по морали общества, и по уверенности бизнеса в своих возможностях и правах, в частности, в праве собственности.

Стало понятно, что защититься не может вообще никто, надо откупаться, появилась обширная когорта так называемых «хороших ребят», которые приходят и говорят: «Я помогу вам решить вашу проблему», — то есть возник еще целый класс паразитов, «промежуточных людей», которые за определенный откат, политические или финансовые уступки помогали бизнесменам разрешить их проблемы с государством или чиновниками.

Иными словами, в России предприниматели фактически превратились в изгоев. Не стыдно быть ученым, не стыдно быть чиновником, не стыдно быть сотрудником «Газпрома», не стыдно быть сотрудником западной компании, хотя и возникают мысли: «Бедный, что ж ты так мало зарабатываешь», — не стыдно быть даже вором в законе; сотрудником полиции быть как-то не очень ловко, но самое позорное — это быть предпринимателем: «Надо же, а со стороны казался таким приличным человеком». Особенно если ты не олигарх — тогда ты просто мелкий жулик. Нет, если ты аккуратненько, как говорится, «и еще на стороне немножечко шьешь» — вопросов нет. Это нормально.

На различных телеканалах, в том числе государственных, в течение многих лет формируется негативный образ бизнесмена как человека, который, если есть возможность, обязательно сворует или не заплатит налоги. Вывод: предприниматели — это самый социально ненадежный элемент, они нуждаются в обязательном контроле государства, иначе попросту обдерут нас всех как липку.

В результате страдает нормальный, честный, простой средний предприниматель, который не ворует, платит налоги и при этом даже не получает никакой общественной поддержки. И суд, который оправдает бизнесмена, будет подвергнут сильнейшему остракизму — потому что если ты оправдал бизнесмена, значит, он тебя купил. Бизнесмен превращается в дойную корову и для полицейских на улице, и для чиновников всех мастей, и для менеджеров разного рода организаций.

Понятия «оптимизация налогов» не существует. Если ты оптимизируешь налоги, значит, ты от них уклоняешься и нарушаешь закон. В России вообще очень живуча интересная логика: если ты ходишь пешком, то каждый, кто на «жигулях», в твоих глазах – вор. Если ты ездишь на «Жигулях», то вор каждый, кто ездит на «Форд-Фокусе». Если ты на «Форд-Фокусе», а мимо катит человек на «Мерседесе», то уж он точно ворюга. А если, не дай бог, у него яхта или самолет – о какой его честности может идти речь, не рассказывайте сказок!

Человек, который утром в воскресенье встает в автомобиле в вечной московской пробке, думает: «Ну ладно, я-то еду по делам, а эти все куда?» Точно так же бизнесмен, глядя вокруг, думает: «Ну ладно, я заработал честно, но вот эти все не могли же заработать честно? Особенно те, кто богаче меня».

На самом деле это серьезная государственная проблема. Нелюбовь к бизнесу и бизнесменам, подозрение, что все они жулики, обесценивает саму идею рыночной экономики в России и позволяет всем силовым структурам при полном общественном не то чтобы одобрении, но уж точно попустительстве «наезжать» на предпринимателей – мол, так им и надо, с учителей и врачей взять нечего, а бизнесмен не развалится. Даже если работает 24 часа в сутки и тратит все свои деньги на развитие бизнеса, «наехать» на него не грех.

Яркий пример отношения к бизнесу – отношение к банкам. Что значит – взять у банка деньги в кредит? Как? Их еще и возвращать надо? Банкиры что, вообще с ума сошли? Им еще и проценты нужно платить? Никакого понимания обязательств, никакой культуры подобного рода нет, есть только страх. Поэтому очень распространены, в том числе среди предпринимателей, попытки «кинуть» – договориться с кем-нибудь внутри банка, сделать ему откат и «кинуть». Но никто не мыслит цивилизованными категориями. Нет культуры зарабатывания, нет культуры уважения к богатству.

Однако невозможно построить нормальную экономику и создать здоровую, направленную на развитие страны эффективную рыночную систему ценностей, если бизнесмен не является ролевой моделью, как, скажем, Билл Гейтс, Стив Джобс или Уоррен Баффет, если учителя в школах не рассказывают о жизненном пути успешных предпринимателей, а, наоборот, учат ни в коем случае такими не становиться. Конечно, государству легче управлять экономикой, где бизнесмены зависимы. Можно позвонить и сказать: «Дай мне 10 миллионов на выборы губернатора в этой области и пять миллионов на выборы мэра в том городе». Со свободными бизнесменами так поступить нельзя, особенно если они имеют возможность получить общественную поддержку.

Интересно еще то, что в России сейчас существует несколько организаций, занимающихся якобы интересами предпринимателей. Но есть ощущение, что они понимают эти интересы очень по-своему и не имеют никакого отношения к реальным предпринимателям. Это либо чиновники от бизнеса, либо очень приятные люди, деятельность которых сводится к формуле «плачьте с нами, плачьте как мы, плачьте лучше нас», потому что никакого влияния и возможностей у них нет.

Государство пока что мыслит понятиями разовых инъекций, а не создания среды. В этих условиях говорить про модернизацию можно лишь в том смысле, в каком Петр I водил свои потешные полки. Все это будет носить исключительно бутиковый характер, даже несколько карикатурный. В любом случае страна нуждается в очень серьезном, фундаментальном переосмыслении системы ценностей. Нужна идеология бизнеса, идеология развития, идеология модернизации.

Тандем: Неудачный эксперимент

Когда мы что-то оцениваем, самое тяжелое – это понять чужую точку зрения. Как правило, оценки даются каким-то экспертным сообществом, которое имеет определенный психологический настрой, и со своей высоколобой позиции они судят: удачно или неудачно, хорошо или плохо. И это проблема для политиков всего мира – если они пытаются угодить экспертному сообществу, то, как правило, проигрывают выборы. Потому что голосовать на выборах будут избиратели – а значит, к ним и надо апеллировать.

Иными словами, судить, насколько удачна или неудачна та или иная комбинация, довольно сложно, если не принимать в расчет все критерии. Ну например: судя по тому, как прошли выборы в Государственную думу, назначение Дмитрия Медведева премьер-министром было неудачным. Потому что «Единая Россия» под его руководством провела выборы таким образом, что нельзя назвать удовлетворительным все произошедшее потом. Но с позиции последовавших вскоре выборов президента, завершившихся оглушительной победой Владимира Путина, это выдвижение можно назвать более чем грамотным.

Формально ничто не мешало Медведеву избираться на второй президентский срок. Более того, в любой другой стране мира уход молодого успешного политика с должности президента в премьеры выглядел бы более чем странно. Но был ли Медведев успешным президентом?

Свой президентский срок он начал с создания комиссии по реформированию судебной системы и комиссии по борьбе с коррупцией. Именно при Медведеве в обществе раскрутилось мнение, что все прогнило насквозь. Тема, что коррупция проела государство сверху донизу, стала активно обсуждаться — сама власть вбрасывала ее в общество. Полицейская реформа, судебная реформа и борьба с коррупцией раскачали ожидания, но эффект к концу медведевского срока получился обратный.

Медведев объяснял, что не собирается устраивать компанейщину, что дело не должно ограничиваться публичным осуждением двух-трех коррупционеров, что нужно начинать системные преобразования — структурные, законодательные, — обрубающие возможности для коррупции. Но объяснения объяснениями, а у народа за четыре года правления Дмитрия Анатольевича возникло ощущение, что все вокруг воруют, причем воруют безнаказанно, — несмотря на реальные сдвиги в ситуации.

В России власти прощают все, кроме нерешительности. Когда мэра Москвы Юрия Лужкова отправили в отставку с формулировкой «за утрату доверия» (и все понимали, о чем идет речь), при этом последствия его отставки остались без уголовного преследования, без объяснения с народом — тем самым было проявлено крайнее неуважение к обществу и его ожиданиям.

А когда Лужков приехал в Москву в качестве свидетеля, что-то рассказал и уехал обратно, людям оставалось только гадать о мотивации: кто кого шантажирует, какие деньги в это вовлечены, какие откаты, кто чего боится? Сам собой напрашивался вывод, что, значит, у Лужкова есть какой-то компромат на высшее руководство страны, раз *они* ему *такое* позволяют. Ничего не поделаешь, так уж работает российская ментальность.

Большой проблемой оказались традиционные выступления Медведева, на которых он публично устраивал разнос своим подчиненным: министрам, губернаторам. В случае губернаторов такие выволочки худо-бедно приводили к замене действующего состава, но когда, например, в разгар скандала по поводу крышевания нелегальных казино в Подмосковье к президенту были вызваны руководитель Следственного комитета Александр Бастрыкин и Генеральный прокурор Юрий Чайка, после чего все остались на своих местах, – это выглядело уже недопустимо.

Анатолий Сердюков, несмотря на очень позитивное начало военной реформы, в какой-то момент превратился в мини-Лужкова: первые шаги были здравыми, а потом появилась женщина. С должности Сердюкова сняли, но, как мы уже отмечали, проблема в том, что борьба с коррупцией без «посадок» в глазах народа выглядит ничтожной. Снял чиновника – посади его! И то, что Сердюков в итоге не оказался в тюрьме, страшно ударит теперь уже и по президенту Путину.

За несколько дней до выборов Медведев заявил, что за срыв гособоронзаказа нужно «увольнять и увольнять пачками». Ну так в чем же дело? Снимите уже! В другой раз он сказал: «При слове «таможня» хочется бросить микрофон в стенку», – и при этом микрофон не бросил. Но позвольте, это кто-либо из авторов данной книги может бросить микрофон в стенку, а у президента все-таки должны быть иные способы решения проблемы таможни! Что это – бессилие? Непонимание своих возможностей?

Все подобные примеры свидетельствуют об отсутствии системы решения такого рода проблем.

Каждый раз используются персональные решения, ручное управление, кейсы и подкейсы, каждый раз все зависит от обстоятельств, каждый раз избирательно применяются политические правила. То ли люди, которые этим занимаются, некомпетентны, то ли им просто на все наплевать – что в глазах общества, по большому счету, одно и то же. А ведь речь идет о политическом руководстве России – таким образом, страдает и авторитет, и рейтинги, и отношение народа к высшим должностным лицам.

Кроме того, когда президент публично критикует подчиненных в Кремле, народ начинает подражать – раз ему можно, значит, можно и нам. При Медведеве началось активное заигрывание с «креативным классом» – как раз тогда появился этот термин, – причем, что характерно, именно эта прослойка обслуживала коррупцию в стране. Но, заигрывая с «креативным классом», Медведев не получил поддержки для себя, зато получил людей, не воспринимающих Путина и боящихся его возвращения.

Никогда нельзя приоткрывать дверку – это та ошибка, которую совершил один раз в России Михаил Горбачев. Когда заигрывают с либеральной интеллигенцией, каждый раз заигрываясь с гласностью и не контролируя процесс, получают неуправляемость. А ментальность россиян такова, что у нас неуправляемый процесс не бывает позитивным – он может быть только деструктивным.

В обществе есть понимание, что министры и губернаторы существуют только для выполнения президентской воли. Они государевы люди и обязаны делать то, что сказал президент, а не критиковать. Это политическая работа, за которую чиновники получают деньги. Если же министр не делает, губернатор возражает, а президент указывает им на их некомпетентность и при этом не снимает с должности, то народ говорит: «Ну какие же это государевы люди – они свои интересы блюдут». Тогда зачем такой президент, который вопреки всему продолжает работать с людьми, которые с ним не согласны, да еще и не имеет права их снять? Значит, это фиктивный президент, который только греет место для другого.

Можно много говорить, что у Медведева были связаны руки. Но разве это аргумент, когда речь идет об успешности президента? В российской структуре власти президент – самый мощный политический игрок, выше него никого нет. Так уж написана наша Конституция. У Медведева был шанс – который так и остался нереализованным.

Сигналом, что второго шанса не представится, могли послужить два события. Об одном из них мы упоминали – это замена Владислава Суркова на Вячеслава Володина. Второе не так очевидно, но очень знаменательно. Помните фразу Медведева, что его слова «отливаются в граните»? Сказана она была в адрес Сергея Чемезова, руководителя корпорации «Ростех». Сказана публично, в страшном раздражении, предшествовали этому инциденту весьма любопытные аппаратные движения — Чемезов пропустил несколько встреч. А Чемезов — не самый последний человек в нашей стране, и по уровню влияния, и по близости к Путину. То есть Медведев, устроив эту прилюдную выволочку, притом в отношении человека, не находящегося в его непосредственном подчинении, по большому счету, позволил себе нарушение корпоративных этических норм, а заодно противопоставил себя ближайшему окружению Путина.

Дмитрий Анатольевич за время своего президентства ухитрился рассориться с целым рядом принципиально важных экспертов. Кроме злополучной беседы с Чемезовым можно вспомнить и инцидент с Алексеем Кудриным. Видимо, на каком-то этапе Медведева подвело чувство реальности, он почувствовал себя более сильным президентом, чем являлся, и покусился на традицию, установившуюся в российском истеблишменте, что было воспринято крайне негативно. Не было и не могло быть президента Медведева без поддержки Владимира Путина и его команды, поэтому нападки Медведева закономерно были расценены как предательство.

Очень показательным стало интервью Никиты Михалкова, когда его в лоб спросили, за кого бы он пошел голосовать — за Путина или за Медведева. Это было еще до объявления о перестановке в тандеме. Никита Сергеевич пытался ответить дипломатично, но его в конце концов дожали, и он сказал: «Ну что за вопрос, конечно, за Путина». «А Медведев?» – спросили его. «А Медведев – замечательный фотограф». Это, конечно, было большим упрощением. Дмитрий Медведев совсем не прост и не наивен, как многие почему-то считают. Это весьма опытный политик, и сбрасывать его со счетов никому не стоит...

Политический перформанс

По прошествии времени вся кампания, предшествовавшая выборам в Государственную думу 2011 года и президентским выборам 2012 года, выглядит как набор более или менее удачных импровизаций, в значительной степени связанных с личными желаниями и сиюминутными интересами того или иного члена партии или высокопоставленного чиновника. Этот набор экспромтов наглядно продемонстрировал интеллектуальную слабость подавляющего большинства политических сил, участвовавших в выборах, их политическую, психологическую и ментальную неподготовленность.

Слабость оппозиции проявилась даже в призывах: «Да не за нас голосуйте, голосуйте за кого угодно, только не за них!» Со всех сторон раздавались сетования на то, что вся политическая поляна зачищена и закатана катком — при том что в действительности сложно найти хотя бы одного крупного именно политического лидера, который был бы брошен в тюрьму или выслан за границу (многие, правда, считают таковым Ходорковского, однако его персона все же в первую и главную очередь имеет отношение к экономике). Даже с достаточно по-хамски ведущей себя оппозицией власть обращалась более чем цивилизованно.

Что интересно — на фоне бурной активности общественной жизни, при явном запросе общества на новую политическую элиту, новые лица и новые аргументы, ничего подобного не возникло ни в официальной власти, ни в оппозиции. Не произошло этого и в обществе. При всем запросе на политическую активность новых людей, привлекающих внимание, можно было пересчитать по пальцам — это, скажем, Алексей Навальный или Евгения Чирикова.

Казалось бы, при таком ожидании перемен гражданское общество должно было вырастить из себя тысячи Навальных и десятки тысяч Чириковых, которые давили бы на власть на местах, решая свои узкие, локальные проблемы в масштабе широких политических задач. Но этого не произошло. Массовое желание модернизации и обновления привело к структуризации некоторых общественных интересов, но натолкнулось на отсутствие новых политических партий, которые могли бы эти движения оформить. Запрос на обновление остался нереализованным.

Неоднократно звучали и классические для России восклицания: «Неужели нельзя найти, неужели нельзя воспитать, а вот партия, а вот власть не дает...» Но это же абсурд! Попробуйте представить себе картину, как власть что-то дает Владимиру Ильичу Ленину, Джавахарлалу Неру или Махатме Ганди, ласкает их и гладит по голове. Или представьте революционную партию большевиков, идущую на поклон к Николаю II – пожаловаться ему, что один из его подчиненных ведет себя плохо и не дает партии развиваться и вмешиваться во внутренние дела страны. Не получается, правда? Все эти примеры призваны проиллюстрировать простую мысль: как система гражданское общество в России до сих пор не сложилось, и об этом мы еще поговорим позже.

Пожалуй, кульминацией странностей поведения перед выборами 2012 года стал инцидент в спорткомплексе «Олимпийский» после боя Федора Емельяненко и Джеффа Монсона, когда Путина, вышедшего на ринг, чтобы поздравить Емельяненко с победой, якобы освистали. Притом не столь важно, было на самом деле это освистывание или нет, – важна реакция, которая последовала за случившимся.

Оппозиция исступленно уверяла себя и всех вокруг, что свист был, и эта исступленность, как часто бывает у российской оппозиции, начала приобретать форму какого-то массового идолопоклонничества. В Интернете началась буквально истерика – гипотетический свист расценивался чуть ли не как выстрел «Авроры». Пожалуй, еще со времен хрущевской «оттепели» свист и крик воспринимаются как нечто всеобъемлющее и всепобеждающее: кажется, что, если выбежать на площадь и громко крикнуть, – страна от этого непременно изменится. Иными словами, разумная осознанная политическая борьба подменяется каким-то перформансом. Неожиданно оказалось, что в постмодернизм поверили не только некоторые кремлевские чиновники, но и вся оппозиция в целом, считающая, что эффектный жест способен разрушить систему.

То, что перформанс заменяет реальную политику, – вообще главный итог последних десятилетий российской общественной жизни. Если чего-то нет в телевизоре или если это что-то не получается сделать зрелищным, эффектным, драматическим, воздействующим на массы – значит, этого попросту нет в природе. Театрализованное представление заменяет нормальную рутинную политическую работу. Наверное, если бы герой сказок и былин Илья Муромец руководствовался в своих действиях таким принципом, он был бы уверен, что для сражения со Змеем-Горынычем достаточно показать ему голую задницу – тогда уж у чудовища точно не было бы другого выхода, кроме как моментально убежать в панике.

Здравый смысл, впрочем, подсказывает, что для борьбы с любым реальным противником перформанса явно недостаточно, как с одной, так и с другой стороны, — однако взаимное «показывание задниц» перед выборами приобрело какие-то титанические масштабы. Чего стоило одно из высказываний «Эха Москвы»: «Вчера Владимир Путин не появился на мероприятии в Петербурге, где все равно свистели». Хочется спросить: а где еще должен был не появиться Путин, где тоже свистели? Это как-то не пришло в голову корреспондентам. В стране все время где-то свистят, а Путин там не появляется. Можно подумать, что свист каким-то волшебным образом изгоняет неугодных политических лидеров.

Реакция власти тоже удивила. Если у оппозиции было страстное желание считать свист в «Олимпийском» исключительно знаком осуждения, то власть не менее страстно доказывала, что это исключительно знак одобрения. По большому счету, там вообще нечего было комментировать: какая разница, свистели зрители или не свистели? Ведь на самом деле ничего страшного в свисте нет. Любой политик должен знать, что его могут освистать. Западных политиков освистывают чуть ли не каждый день, и это абсолютно нормально.

Более того, самое плохое для политика — это как раз равнодушие к нему, а любая реакция — будь то крик одобрения, визг или свист — вещь сугубо позитивная. В этой ситуации наиболее выигрышно выглядел сам Владимир Путин, который не убежал из «Олимпийского», а спокойно сказал все, что собирался – кстати, не призывая голосовать ни за себя, ни за «Единую Россию», – в общем, вел себя абсолютно достойно и впоследствии не давал никаких комментариев по этому поводу.

Последняя неделя перед выборами была особенно интересна. До последнего момента была вероятность, что Путин придет на дебаты с Геннадием Зюгановым. Путин серьезно рассматривал этот вариант, у него было расчищено время в графике, и даже его представители говорили с Геннадием Андреевичем. Но, к сожалению, традиционное для России представление о сакральности власти и о том, что с оппозицией не о чем дискутировать, потому что «мы делаем, а они только критикуют», помешало тому, чтобы состоялась одна из самых интересных телевизионных дуэлей в современной политической истории России, которая во многом задала бы совершенно иную тональность всем будущим политическим дебатам.

Путин эту возможность упустил, хотя на выборах 2012 года дебаты – в частности, проводимые одним из авторов книги, – были, наверное, самыми яркими за последнее десятилетие. И надо отдать должное остальным кандидатам – они вложились в эти дебаты достаточно серьезно.

Отметим, что дебаты шли по разным каналам, правда, во многих ситуациях туда приходили представители кандидатов в президенты, а не они сами. Принципиальное отличие дебатов на канале ВГТРК было в том, что там под них выделили большие, серьезные временные слоты не рано утром или поздно вечером, а в самый прайм-тайм. Это тоже сыграло свою роль в легитимизации выборов. Люди видели в прямом эфире реакцию тех или иных кандидатов. Если Путин писал свои статьи и выступал на митингах, то остальные имели возможность обсуждать друг с другом того же Путина.

Незадолго до выборов родился миф, что российский электорат постоянно левеет и мы живем в левой стране (левой – в нашем, российском понимании политического спектра). Как выяснилось, это совершенно не соответствует действительности. Победил кандидат, который занимает в вопросах экономики крайне либеральные позиции, – мало того, Михаил Прохоров, который по большинству экономических вопросов очень близок к Путину, получил огромное количество голосов в городах, а в Москве занял второе место. Если сложить количество голосовавших за Путина и за Прохорова, то подавляющее большинство россиян получается сторонниками правых или хотя бы центристских взглядов, в первую очередь в сфере экономики, но никак не левых, что и подчеркнул низкий результат Геннадия Зюганова.

В победе Владимира Путина на президентских выборах нет особой заслуги власти. В первую очередь это просчет оппозиции – и политическая мудрость российского народа, который отнесся к выборам правильно. Впрочем, заслугой власти можно считать такой момент: оппозиция считала, что ее будут давить, что будет нечто твердое, во что можно будет биться. А власть проявила невиданную гибкость, полную готовность идти на разговор и разрешать демонстрации в самых до того немыслимых местах. И кроме того, нельзя было не отметить крайне грамотную работу правоохранительных органов.

Позитивную роль сыграла и позиция большинства кандидатов в президенты, которые отнеслись к выборам спокойно, серьезно, без истерик. И Михаил Прохоров со своими сторонниками, и, как это ни поразительно, Владимир Жириновский со своими сторонниками вели себя спокойно и перед выборами, и после оглашения результатов. Неадекватно оценил результаты выборов разве что Геннадий Зюганов. Избиратели же подошли к выборам очень по-взрослому, серьезно и не политизированно.

Уже в день голосования у людей не было ни малейшего ощущения, что выборы нечестные и их не надо признавать, — такая сложилась атмосфера, достаточно деловая. Да и обстановка на участках с огромным количеством наблюдателей была спокойная. Когда Путин победил, то подавляющее большинство людей и даже значительная часть оппозиции восприняли это как само собой разумеющееся, и уже наутро после подсчета голосов лозунги о недействительности выборов и использовании «административного ресурса» резко пошли на убыль.

У Владимира Владимировича во время выступления на Манежной площади на глазах были слезы — неважно, по каким причинам, то ли от ветра, то ли от чего-то еще. Оппозиция, как всегда, не смогла удержаться от абсолютно хамских комментариев, которые не делали ей чести. А люди к таким вещам относятся очень серьезно. Люди устают от публичного хамства. И Путину во многом помогло то, что он в свою очередь отказался от любых резких заявлений — тем более что некоторое время назад он позволил себе несколько очень, мягко говоря, двусмысленных высказываний в адрес оппозиции, но быстро сделал выводы.

Кредит доверия Путину оказался так велик, что даже не вполне понятный призыв «умереть под Москвой» не стал для него трагическим просчетом, вызвав скорее иронию, чем отторжение. Почему люди голосовали за Путина? Очевидно, что они прокредитовали его доверием в надежде, что начнутся реальные изменения, колоссально востребованные в обществе.

Перегретые ожидания

Авторы этой книги много лет занимаются российской политикой и знают ее изнутри. На наших глазах разворачивались безумные атаки на основы русской духовности. Мы стали свидетелями абсолютного размывания морали, продолжавшегося последние 20 лет. Мы видели попытки войны с традиционными для России религиями, попытки дискредитации служителей церкви и попытки продвинуть так называемые либеральные западные ценности, которые в мире сейчас терпят поражение. Должно быть, впервые за долгие годы – по крайней мере с XX века – в России возник эффект парового котла, который власть сама себе создала. Притом там, где не ждали.

Это, в первую очередь, дикий рост количества гуманитарных институтов, выпускающих в год тысячи и тысячи людей изначально невостребованных (они же не школьных учителей выпускают) – журналистов, юристов, менеджеров непонятно чего. Если раньше, в советское время, было счетное количество гуманитарных вузов, то сейчас гуманитарные кафедры и гуманитарные факультеты присутствуют практически при любом высшем учебном заведении.

В жизнь выбрасываются толпы выпускников, подготовленных преподавательско-профессорским составом, разочарованным в жизни и настроенным против власти – поскольку сами эти люди фактически потеряли тот статус, которым обладали в советское время. Они получают крайне небольшие зарплаты, они потеряли уважение в обществе, то есть фактически они маргинализированы. И вот эти педагоги готовят смену, в высшей степени непрофессиональную, но настроенную ультрареволюционно.

Эта «молодая шпана» врывается в окружающую действительность и не находит себе никакого применения. При этом ей выпало жить в обществе с раскочегаренным ожиданием потребления. Потребление является мерилом успеха, а понятия «ждать», «терпеть» или «соответствовать вознаграждению» даже не укладываются у молодых людей в голове. Наоборот – надо брать, брать и брать. Ведь именно эти люди во многом наполняют негативом интернет-общение. Это люди, которые стучатся в двери невероятно расплодившихся изданий. Люди, которые выходят на улицу и постоянно дестабилизируют ситуацию.

И для страны вдруг стало ясно, что при диком кадровом голоде, при страшной нехватке профессионалов рабочих специальностей, инженеров, технарей есть переизбыток людей фактически ненужных. А институты продолжают гнать этот революционный поток.

Формируется слой псевдоинтеллигенции, которая берет на себя традиционную роль интеллигенции. Мало и плохо образованные люди, которые не читали того огромного количества книг, которые надо прочесть, чтобы начать судить о России, ее истории, культуре, духе и миссии, берут на себя эту обязанность. Они не знают элементарных вещей – тех же русских философов XIX века, русских социологов, даже русской классики. А все потому, что нынешние гуманитарные вузы не готовят гуманитариев в советском смысле слова.

Конечно, были в советских вузах, как говорится, свои тараканы, в частности, сильнейшая идеологическая накачка, но при всем том давалось крайне серьезное гуманитарное образование. Сегодня молодых людей натаскивают в школе на сдачу ЕГЭ, а в университете – на сдачу госэкзамена, после чего им выдается диплом, который ничего не стоит.

При этом они почему-то считают себя, во-первых, цветом нации, а во-вторых, глубоко образованными специалистами, имеющими возможность и право судить обо всем. Но поскольку они все-таки образованы мало, из них буквально выпирает пренебрежение к остальным, к тем, кто сомневается, кто не уверен, кто предлагает подумать и не спешить. Это люди черно-белого видения, люди, не понимающие сути исторического процесса и темпов исторического развития, но считающие себя вправе, например, подойти и задать вопрос Патриарху, даже не понимая сути того, что он может им ответить.

Нет ничего хуже, чем полузнания. Люди необразованные хотя бы понимают, что отсутствие образования – это их минус. Полуобразованные люди этого не понимают. То, что в них формируется в первую очередь – это уверенность в своей правоте, в правоте своих выводов, своих взглядов.

Чем хуже человек образован, тем более категорично он мыслит. Ни нормальный рабочий, ни нормальный интеллигент никогда не мыслят категорично — это всегда особенность полуинтеллигентов, в огромном количестве расплодившихся в современной России и все активнее занимающих места в средствах массовой информации, в культуре и политике.

При этом совершенно очевидно, что, получив эти места, они с ними легко не расстанутся. И страна продолжает оставаться страной полупрофессионалов и непрофессионалов, глубоко уверенных в своей правоте. Говорить с ними бессмысленно. В результате даже при желании набрать квалифицированные кадры в стране, где отсутствует культура роста кадров, становится крайне сложно. Именно поэтому государство вдруг решило применить довольно забавный подход — отправлять молодых людей на оплаченную учебу за границей, лишь бы возвращались, как в петровские времена.

Россия сейчас встала на грань масштабных реформ — фактически их можно сравнивать с реформами Петра I или Александра II. И в этом заключается один из вызовов Путину — ему необходимо подняться на высоту, которой раньше не было.

СТРАНА ВОЖДЕЙ

Вождизм в политической культуре России

Вождизм – это вечное ограничение российской политической культуры. Что вообще означает это слово – вождизм? Это значит, что нравится кому-то или нет, но все выстраивается по знаменитой формуле Николая I: «Мне нужны не умники, а верноподданные». Поэтому в том или ином виде оказывается, что у тебя не единомышленники, а те, кто так или иначе тебе близок. И неважно, о ком идет речь.

Люди, которые окружают любого политического лидера, хоть оппозиционного, хоть нет, – это всегда кружок обожателей. В этом плане у человека, который добирается до власти, просто больше возможностей, потому что тут можно говорить об обожании расширенном – не только человека, но и той ауры власти, которая от него исходит.

Вывод из этого получается парадоксальный. В России – и это надо четко понимать – нет, не было и не будет партии власти. Все дело в том, что у партии власти, как бы она ни называлась, нет идеологии. Это всегда фактически становой хребет чиновничества под разными названиями. Любая партия, занявшая большинство на выборах, автоматически станет точно такой же «партией власти». Потому что власть в России, во-первых, всегда чиновничья, а во-вторых, она всегда, если угодно, строится на верности не политическому курсу и идеологии, а лидеру.

Принято считать, что власть к тому же носит сакральный характер в глазах народа, однако с этим можно поспорить, особенно на примерах последнего времени. Классическая русская поговорка «любит царь, да не любит псарь» работает всегда. Какая бы партия ни была у руля, отношение к ней народа всегда будет отношением Рабиновича к советской власти: «Как к родной жене – немножко люблю, немножко боюсь, немножко хочу другую». Поэтому люди всегда будут критиковать, всегда будут считать, что все плохо, потому что начальник не в курсе – а дальше уже можно подставить любой уровень начальства, от директора ДЕЗа или главы райкома в советское время до царя, президента, генсека, кого угодно. Но это все та же вечная вера не в институты, а в людей, которые эти институты возглавляют. Добежать до последней двери, до самого главного начальника – а там, в точности по Маяковскому, бухнуться на колени и, запыхавшись, просить, «чтоб обязательно была звезда».

Вообще, идеальный президент для России – это Дед Мороз. Объяснить его поведение, волю, мотивы невозможно. Он может одарить, может наказать, может потребовать, чтобы ты прочитал стишок, встав на табуреточку. И ты встаешь на табуреточку и, глупо улыбаясь, обязательно о чем-нибудь просишь. И весь ужас в том, что люди, которые вроде и не собирались ни о чем просить, внезапно начинают судорожно подбирать варианты.

Накануне выборов 2012 года, во время прямой линии с народом Владимир Путин, отвечая на какой-то вопрос, сказал, что в России сложился «режим Путина». Такой ответ опять-таки замечательно укладывается в концепцию вождистской системы власти – действительно, сложился персональный «режим», хотя есть и разнообразные другие факторы, влияющие на ситуацию. Одновременно это подразумевает отсутствие системного долгосрочного прогноза, не связанного с личным пониманием ситуации. А ведь всегда нужен «адвокат дьявола», кто-то, кто выступает против.

Путин – спортсмен по духу, он смолоду занимался единоборствами, и по большому счету должен понимать, что спортсмену необходим тренер, который его ругает. Нельзя, чтобы тренер, помощник или массажист постоянно хвалил чемпиона: «Какой ты молодец, ты достиг всего, опять ты сделал все замечательно». Это прямая дорога к проигрышу. Обязательно должен быть кто-то, кто будет его регулярно ругать: «Здесь ты работал не в полную силу, здесь ты недотянул, а вот здесь в принципе нормально, но можно было постараться сделать лучше».

Системный порок российской элиты в том, что она не имеет собственного мнения. В Америке, если ты чиновник – ты, разумеется, поддерживаешь президента. Но огромная часть американского истеблишмента постоянно критикует Барака Обаму: «Ты неправ, ты слабый, ты неправильно сделал то или это». Что делает российская элита? Она пытается быть святее Путина. Российская элита говорит: «Национал-предатели? Сейчас составим списки, всех поймаем. Крым? Нельзя останавливаться! Танки, срочно танки, и сапог в Индийский океан. Что сказал этот человек? Да он скрытый атлантист! С такими надо бороться! Путин называет себя президентом? Да разве он президент? Он венценосец!» Это постоянные страстные попытки зализать, к которым сам Путин относится в высшей степени неприязненно. Надо отдать ему должное – он моментально пресекает славословия в свой адрес. Любая публичная попытка построить культ Путина воспринимается им негативно.

В то же время Путину присуща своего рода «болезнь разведчика». Ему кажется, что кто-то может попытаться им манипулировать. Когда появляется человек, высказывающий свою точку зрения, Путин всегда думает – заплатили ему или нет, есть ли коммерческий или какой-то еще интерес. И значительная часть российской элиты, забегая дорогу самому Путину, торопится сообщить: «Владимир Владимирович, не обращайте внимания, это все проплачено, это или западные пропагандисты, или внутренние предатели, олигархи, пятая колонна. Они возражают не потому, что несогласны — они на самом деле согласны, они тоже так считают, просто им заплатили».

В результате, перед тем как тебя выслушать, Путин начинает гадать, кому это выгодно и стоит ли тебя вообще слушать. А это очень сильно мешает реальной интеллектуальной дискуссии. Кроме того, Путину всегда кажется, что есть простые ответы. Но в интеллектуальных сферах простые ответы редко являются правильными.

Обоснованная конструктивная критика нужна любому человеку, а лидеру в особенности. Как только ему со всех сторон начинают рассказывать о его величии — дела гарантированно пойдут не так. Иными словами, самая большая опасность лидерских режимов в том, что наличие «адвоката дьявола» не подразумевается. Путину как лидеру оппозиция не нужна — но, опять-таки как лидеру, она ему необходима. Этот парадокс характерен для всей российской политической истории, и еще ни разу он не был решен.

Кто-то из русских императоров — возможно, тот же Николай I, — когда его спросили, кто в Российской империи самый влиятельный чиновник, ответил: «Только тот, кто говорит со мной, и только в тот момент, пока он со мной говорит».

Вот и все влияние. И как в таких условиях может вырасти оппозиция?

В России после Петра I во главе церкви встал царь, поэтому любой человек, выступающий против царя, обвинялся еще и в богохульстве. Собственно, еще Иван Грозный говорил, что всякая власть от Бога. И наоборот, Лев Толстой, выступавший за реформирование церкви, обвинялся в государственном преступлении. Иными словами, нельзя было быть «за царя и против церкви», как и «за церковь и против царя», — ты неизбежно попадал в эти тиски. Отсюда и отношение к инакомыслящим в России — ты либо государственный преступник, либо сумасшедший.

Однако в чем основная проблема сегодняшней оппозиции? Она выступает только «против» кого-то или чего-то, а не «за». Ей надо бы выступать за народ, но проблема в том, что у нас — оппозиция «Жан-Жака», она не слышит народ, не понимает его чаяний, не является его составной частью. И чтобы выдвинуть нового лидера, ей надо прежде всего понять, какой лидер сейчас востребован.

Не случайно, если мы посмотрим на имеющихся оппозиционных лидеров, то заметим, что все они строят свой образ на антитезе Путину. Раз Путин невысок, то его оппонент должен быть большого роста. Но по сути это политтехнологические лидеры, а не народные. Нельзя войти дважды в одну реку. Путин попытался это сделать, создав себе преемника – Медведева. И нельзя, как мы уже говорили, назвать эту попытку успешной.

Политический опыт Путина по большому счету ограничен – он знает, как он сам пришел к власти, поэтому считает назначение преемника при уходящем в отставку президенте эффективным методом. И в глазах Путина Медведев был достаточно успешен – на тот момент он показал себя весьма эффективным менеджером по сравнению с другими конкурентами. Как говорили люди из правительства, когда надо было решить проблему, Медведев ее решал, а Сергей Иванов собирал совещание о разработке метода решения проблемы.

Вероятно, Путин и сейчас относится к Медведеву как к наиболее доверенному человеку – тот по крайней мере выполнил все условия и передал власть обратно. Но очевидное желание Медведева вернуться во власть может сильно ударить по его реальной политической карьере, поэтому для него было бы гораздо выгоднее сконцентрироваться непосредственно на своих премьерских обязанностях. Реальные успехи на посту премьера значат гораздо больше для дальнейшей политической карьеры, чем любые разговоры на эту тему.

Сегодня в политической обойме появились новые люди – например, Дмитрий Рогозин, который выглядит достаточно успешным вице-премьером. В любом случае можно сказать, что Рогозин, получив гигантский финансовый ресурс, действительно способствовал очевидному оживлению военно-промышленного комплекса, вплоть до того, что вызываются из глубокого резерва пенсионеры, которым говорят: «Платим любые деньги, только приходите обратно на заводы и учите эту молодую гопоту работать», – потому что заказы есть, а рабочих рук нет. И это, в общем, лучший вариант из возможных. В условиях вероятного падения экономики именно военно-промышленный комплекс может оказаться тем самым локомотивом, который протащит Россию через тяжелые времена, – как это и было уже дважды в XX веке.

Что касается оппозиции, то она никогда не совпадает с мейнстримом и, как правило, строит себя по западной модели: люди там поучились, почувствовали себя практически европейцами, а теперь приехали в Россию и внедряют то, что успели узнать. Дальше начинаются совершенно анекдотичные для любого политтехнолога вещи. Избирательные кампании выглядят абсолютной калькой даже не с американских избирательных кампаний, а с сериалов об американских избирательных кампаниях. Обама закатал рукава? Мы тоже закатываем рукава! Обама сфотографировался с женой? Мы тоже фотографируемся с женой! Обама, кажется, расходится с Мишель? Мы, кажется, тоже расходимся с женами! А, Обама еще не развелся? Ну тогда и мы спешить не будем. Даже лозунги выглядят переводами.

Второе направление оппозиционеров – ультранационалисты. Они любят говорить о предательстве национальных интересов, заявляют, что они другие, и выступают от имени русского народа. Тут они начинают путаться: «Мы русские... нет, не так, мы славяне! Христиане! Нет, это еврейское что-то... мы... мы в Перуна нашего веруем!» – и моментально таким образом маргинализируются. Просто в силу того, что у каждого человека, по крайней мере в России, если как следует покопаться в родословной, можно отыскать бешеный набор кровей. И люди реагируют с недоумением: «Стоп, минуточку, давайте все-таки без идиотизма!»

Получается, что мейнстрим представлен властью. Поэтому, как бы себя ни называла партия власти, она фактически является самой консервативной. А кроме того, она до смешного соединяет в себе и левые силы – потому что надо заботиться о социальном обеспечении; и крайне правые – сообразно тем реформам в экономике, которые пытаются осуществлять; и олигархические – в силу того, как разделена российская экономика.

Ведь что такое в России власть? Это мандат на реальные действия. Исходя из этого, партия власти представляет собой разнообразнейший коктейль – в ней одной представлены самые разные политико-экономические течения и направления. По большому счету, идя во власть, человек может для себя выбирать среди такого разброса политических взглядов, оставаясь при этом в той же самой партии или команде, что в американских реалиях он метался бы от самого крайнего демократа до самого крайнего консерватора.

Оппозиции крайне необходимо вырваться за флажки. Вариант первый – войти во власть. Вариант второй и гораздо более важный – выйти из «Жан-Жака». Вся оппозиция по большому счету столичная. Один из авторов этой книги в свое время назвал их «Виртуозы Москвы» – впрочем, на виртуозов они, честно говоря, не тянут, хотя одеты не хуже. Так что оппозиции неплохо было бы приобрести наконец российские корни, выйти за пределы столицы.

Кроме того, пора бы уже понять, что глобальному традиционалистскому русскому мышлению претит постоянный мат от политиков, и неважно, что мы говорим друг другу дома или в дружеской компании. Традиционалистскому русскому мышлению претит ругань со сцены. Заливистое хулиганство арт-формы отталкивает от политиков, а не привлекает к ним, маргинализует их избирателей. Напротив, если бы Александр Проханов был лет на 40 моложе, он сейчас наверняка стал бы одним из самых востребованных политиков в России.

Пора понять и то, что нельзя постоянно рассказывать о том, как все плохо. Как бы плохо ни отзывались россияне, допустим, о полиции, им в большинстве случаев не нравится, когда постоянно кроют матом правоохранительную систему. Потому что куда в конечном итоге люди идут, когда их грабят? Они идут в полицию. И когда полицию день за днем поливают грязью, это в конце концов вызывает раздражение. И то же самое будет справедливо для всего остального.

Серьезным, востребованным политиком мог бы стать Владимир Рыжков – он в свое время поднялся во власти довольно высоко, был вторым человеком в партии «Наш дом – Россия». Система прожевала его и выплюнула, когда он потерял темп. А вспомните, как блестяще начинал Борис Немцов – как он сам говорит, «я в детстве был губернатором», притом одним из самых успешных. Но беда наших оппозиционных политиков в том, что они все не умеют переживать падение, потому что в российской культуре политическое падение – это плохо.

Вот еще интересный момент. Посмотрите на людей, которые называют себя внесистемной оппозицией. Разве есть среди них кто-то по-настоящему внесистемный? Владимир Рыжков был в системе. Борис Немцов был в системе. Михаил Касьянов был в системе. Алексей Кудрин был в системе. Илья Яшин был в системе – в партии «Яблоко». Алексей Навальный был в системе. Маша Гайдар была в системе. Проблема в том, что они ничего не добились. Хотя по отношению к Рыжкову, Немцову и Касьянову это утверждение несправедливо: в свое время они добились много чего, другое дело, что не смогли это удержать.

В России так часто бывает – можно обладать большим потенциалом, но его очень легко растерять. Одна ошибка может привести к тому, что все рухнет. И главная ошибка — когда ты вдруг начинаешь ощущать себя оппозиционером, в течение многих лет находясь у власти. Это, к слову, очень хорошо понимал Егор Гайдар. Заметьте — он никогда не уходил в прямую оппозицию. Фактически он всегда оставался близким к власти — консультировал правительство, например. Он мог что-то критиковать, но в политику больше уже никогда не лез.

Что же получается? А получается, что бросаться бороться против лидерской модели власти со стороны бесперспективно, потому что если народ хочет лидера — то он хочет лидера. А лидер должен слышать народ, и все идеологические размышления и предложения о реформе власти отступают на второй план. Нужен лидер, который сможет бросить вызов Владимиру Путину. Демократическая оппозиция на это не пойдет — для начала, они никогда не договорятся по поводу лидера. Они будут говорить о системных реформах, честных выборах, местных советах, прозрачных бюджетах — но не о лидерстве. Среди них не проводится отбор на «Мистера лидер России 2015–2016». А раз такого отбора нет, значит, оппозиция так и не будет способна бороться с лидерской моделью власти, потому что в России сильного лидера может заменить только сильный лидер.

Кроме того, чтобы успешно пройти через горнило выборов, необходимо быть народным. Такие народные политики в России были — но ни в коем случае нельзя пытаться копировать их, двигаться по их пути. Возьмем Путина — он прошел свой путь, и всё, точка. Следующий должен идти другой дорогой. Любая попытка стать вторым Путиным будет неминуемо проиграна. Следует искать собственную альтернативу.

У нас был путь генерала Лебедя — который не прошел его до конца, однако из всех независимых политиков стоял ближе всех к президентству. Александр Лебедь был в оппозиции и не дошел до вершины власти лишь потому, что пошел на сговор с ней — занял место в Совбезе и кончился как политик, разменяв все за губернаторство. При этом он выглядел абсолютно народным — генерал с мощным голосом, герой, сумевший развести противоборствующие стороны в Приднестровье, — очень цельный и сильный образ.

Вообще, есть ощущение, что новое поколение российских политиков придет из военных, которые прошли Чечню или иные горячие точки. В глазах народа это люди, которые имеют право говорить. Сейчас в политике есть несколько молодых ребят, которые не особо на виду, но при этом у них есть прошлое. Многие из них сейчас показывают себя на губернаторских должностях — например, губернатор Московской области Андрей Воробьев, который воевал в дивизии им. Дзержинского и прошел все горячие точки позднесоветского периода. Депутат Госдумы Игорь Баринов — «альфовец», ранен в Чечне, вся грудь в орденах. Депутат Мосгордумы Андрей Метельский – воевал в Афганистане, имеет награды.

Все они уже так или иначе находятся во власти – иными словами, не надо придумывать лишних условий вроде того, что новый лидер должен обязательно появиться из ниоткуда, как это было в случае с Путиным. Политики, которые могут быть востребованы временем, появляются из самых разных кругов, в данном же случае речь идет о типе людей, прошлое которых дает им определенные преимущества. В России президент, помимо всего прочего, еще и Верховный главнокомандующий – и в момент выбора этот фактор может сыграть очень важную роль.

Можно ли считать построенную Путиным систему государственного управления российским национальным феноменом? Если посмотреть на историю России, то при всех пертурбациях, политических реформах, революциях и контрреволюциях рано или поздно страна приходила к вождистской – или лидерской, смотря как это называть, – модели. Все время ищется вождь. И от качеств вождя в значительной степени зависит не только эффективность государственной машины, но и ее политические характеристики.

В этом смысле Путин, конечно, продолжает все вождистские тенденции, заложенные в российской политической культуре и историческом опыте. И есть основания полагать, что, даже будь у него желание разрушить эту модель — оно окажется невыполнимым. Мало того, само это разрушение тоже было бы проявлением вождизма.

Как ни странно, столь недемократическая система власти в России складывается в результате определенных демократических посылов. Часто говорят: да, народ такой, он хочет именно этого. С точки зрения либерала это неправильно — как и отношение ко многим идеям или отношение к меньшинствам. С другой стороны, неправильно, чтобы меньшинства навязывали свою волю большинству. Как ни крути, большинство есть большинство — это основа демократии; а большинство в России всегда приводит страну к вождистской модели. И даже если суперлиберальное меньшинство захочет радикальных перемен, вряд ли общественное мнение и политическая культура России позволят это сделать.

Кроме того, нетрудно заметить, что все попытки оппозиции прийти к власти базируются тоже на вождистской модели — просто с другим вождем. Российская оппозиция на своем уровне повторяет сложившуюся во властных эшелонах схему, а уровень атомизированности политических сил доходит уже до совсем неприличного. Последний яркий пример — разборки внутри «РПР-Парнас», где количество членов партии примерно равно количеству лидеров. При этом уровень взаимных обид там зашкаливает, люди не способны друг с другом договориться и выталкивают, как кукушата, одного из создателей партии, человека, который ее зарегистрировал, — Владимира Рыжкова, на деле самого избираемого из них политика.

Приходится признать, что это особенность российской политической культуры. Может быть либо один лидер, либо ничего. Многие соратники того же Навального отзываются о нем как об абсолютном социопате, способном воспринимать лишь восхищение и восторг и не допускающем по отношению к себе никакого критического анализа, не говоря уже о конкуренции — есть только он, солнцеподобный и луноликий.

Что в этом плане удивительно — сравнивая оппозицию и власть, замечаешь, что люди-то во власти гораздо более яркие. Путину удалось собрать довольно мощную команду. Казалось бы, в оппозиции таких должно быть не меньше, но посмотрите на любую партию — там нет обоймы ярких личностей. А глядя на условную партию власти, мы видим сразу целую плеяду харизматичных деятелей — взять хотя бы Сергея Лаврова или Сергея Шойгу. Яркие там даже антигерои.

Зачем нужна идеология

В Конституции РФ установлен запрет на государственную идеологию. С точки зрения здравого смысла это перегиб — нельзя объявлять монополию на идеологию, как это было в советские времена, но впадать в другую крайность и вообще запрещать идеологию бессмысленно — это все равно что вводить запрет на нормальную жизнь. Такой запрет абсурден по самой примитивной логике. Но вот что получается: Путин пришел к власти в 2000 году, после того как побывал на различных административных должностях, нигде не сформулировав свою идеологию, пришел как сугубый практик, тактик, способный повести за собой народ хлесткими фразами вроде «замочим в сортире». Но в плане идей он не предложил России ничего.

Путин всегда отвечал на существующие вызовы, а не рисовал дорогу в будущее. Иногда он пытался это делать — потому что определенный социальный запрос на образ будущего есть, и предвыборные статьи Путина как раз были посвящены тому, как он видит развитие России. Там он попытался изложить некую программу, но по большому счету это никого не интересовало. Всех интересовали его лидерские качества.

Один из авторов этой книги долго критиковал российских оппозиционеров за идейную и идеологическую пустоту, считая, что им следует сосредоточиться на разработке альтернативной концепции власти, но со временем пришел к мысли, что если у власти нет идеологии, то ожидать идеологии от оппозиции тоже по большому счету не нужно. Бороться с властью нужно на том же поле, на каком власть выигрывает у оппозиции, — а это не идеология. В России, с одной стороны, запрещена официальная идеология, а с другой — существует такое разнообразие взглядов, от ультранационалистических до ультралиберальных, что ни власть, ни оппозиция, видимо, не сумеют сегодня получить большинство на идеологическом фронте.

Вдруг стало ясно, что Конституция 1993 года абсолютно не соответствует требованиям сегодняшнего дня. Например, статья 31 о свободе собраний замечательно работает только в том случае, если собираются сторонники власти. При этом либералы приходят в ужас, когда проводится «Русский марш», а националисты точно так же приходят в ужас от одной мысли о возможности проведения, условно говоря, исламского марша.

И в то же время оказывается, что жителей Москвы, например, очень сильно достали уже все марши, какие только возможны. Москвичи говорят: «Ребята, хотите ходить — ходите где-нибудь подальше, потому что нам надо ездить на работу, нам надо, чтобы ходил общественный транспорт и могла проехать «Скорая помощь», а вы сильно затрудняете жизнь 15-миллионного города, пытаясь ради собственных претензий вывести на улицы несколько пусть даже десятков тысяч человек, которые еще и приезжают черт знает откуда. Это, конечно, замечательно, но не могли бы вы нас оставить в покое?»

В то же время России сильно мешает отсутствие понимания базовых установок в обществе. Именно поэтому страна каждый раз ходит по кругу. И в этом плане Путин интересен как раз тем, что является лидером, который формулирует неполитические задачи.

Путин сейчас воспринимается как лидер консервативного образа мышления. Российские либералы, подбросив повестку дня, раскололи общество на антилибералов и пролибералов. При этом они нарисовали самый неудачный из возможных для себя сценариев, когда проассоциировали себя с теми свободами, которые принципиально противоречат российской патриархальной традиции. Пресловутые гей-браки, гей-парады, усыновление детей гомосексуалистами – весь этот набор вдруг стал темой политических дискуссий, когда в конечном итоге ты определяешь, свой человек или чужой, по вопросу «Ты за гей-парады или против?».

Неожиданно получилось так, что если раньше понятие «западник и либерал» лежало, в общем, вполне в рамках идеологии, то сейчас оно приобрело легкую сексуальную окраску. Дошло до того, что сексуальная ориентация уже фактически определяет политические взгляды человека – как будто представитель гей-сообщества даже при всем желании не может назвать себя патриотом или консерватором (именно консерватором, а не традиционалистом), а приверженец традиционных сексуальных взглядов не может быть либералом. Все понятия вдруг смешались и начали приобретать совершенно иной смысл — или, если угодно, попросту утратили большую часть смысла.

Сегодня в российских либеральных кругах принято наперебой цитировать известное высказывание «патриотизм — последнее прибежище негодяя», вкладывая в него явно отрицательный смысл. Однако если порассуждать на эту тему, стоит обратить внимание на то, что патриотизм назван именно последним прибежищем. Сначала негодяи бегут в другие места. И, как ни парадоксально, ассоциировать напрямую эти два понятия можно лишь в последнюю очередь — даже в соответствии с цитатой.

Что характерно, люди даже не задумываются над тем, что больших патриотов своей страны, чем, к примеру, жители Соединенных Штатов, еще надо поискать. И что один из самых патриотических лозунгов был выдвинут не кем иным, как президентом Кеннеди: «Не спрашивай, что твоя страна может сделать для тебя, — спроси себя, что ты можешь сделать для своей страны». При этом никому не придет в голову обвинить президента Кеннеди в том, что он мерзавец — по крайней мере, если не рассматривать с точки зрения морали его отношения с Мэрилин Монро, — и уж точно никому не придет в голову сказать, что США страна негодяев, потому что американцы более чем патриотичны.

Но почему-то, когда в России человек заявляет, что он патриот, слышатся саркастические замечания: «Ну да, когда родина тебя грабит, она начинает говорить о патриотизме». Хотя, опять-таки, та же Америка постоянно говорит о патриотизме, но при этом своих не грабит. То есть все время подсовываются ложные цели. Для патриархального российского большинства – бесспорно, пассивного, не желающего быть втянутым в активную политическую жизнь, – эти оскорбительные лозунги звучат крайне неточно и неправильно.

Гигантское отличие Путина от оппозиции состоит в том, что Путин говорит на языке этого патриархального большинства, понимает его, апеллирует к нему и очень четко попадает в национальный характер. Наши либералы все время пытаются пугать чужими лозунгами. Стоило случиться майдану на Украине, как они тут же вышли к столичному Замоскворецкому суду с лозунгами «Банду геть!» и «Да здравствует майдан!» – тем самым опять-таки вызывая отторжение у подавляющего большинства своих потенциальных избирателей. Потому что все время привносят в Россию чужую модель.

В идеологическом поле бороться с Путиным было бессмысленно, там оппозиция заведомо проигрывала – поскольку ее противник на это поле даже не выходил, не предлагал никакой идеологии и по большому счету ни за какую идеологию не стоял. Когда же он все-таки вышел, то вышел скорее на поле морально-этическое – и, похоже, оппозиция была к этому совсем не готова.

2013–2014 годы стали годами больших потерь в общественном мнении именно потому, что морально-этические качества не были предметом дискусии оппозиции с властью. А когда власть сделала первый шаг — пусть искусственно, вынужденно, под влиянием Запада, — она вполне закономерно стала сильно выигрывать. Тем более что многие деятели оппозиции, при всем к ним уважении, в моральном плане вряд ли могут быть примерами.

В свою очередь, формулируя то, что можно назвать квазиидеологией — в терминах отношения к социальным меньшинствам, к традиционным семьям, к той или иной религии, к воспитанию детей, к преподаванию в школе определенных предметов, — власть превращает идеологию в разговор о темах, которые понятны любому, даже самому малообразованному гражданину России.

Повторим, не власть это придумала — она тут работала вторым номером. Но она гораздо чаще говорит на языке, понятном простому россиянину, чем оппозиция со всеми своими рассуждениями о свободе и либерализме, заумными теориями прибавочной стоимости, объяснениями, как нужно строить бюджет и сколько брать налогов. И неважно, кто сколько украл и кто коррупционер. Люди просто идентифицируют — свой или чужой. Критерий простой: «Ты в Бога веришь или нет?» А если ты говоришь не «церковь» а «РПЦ», или называешь Патриарха Гундяевым, включается механизм отторжения. Не играет никакой роли, кто, по большому счету, в данный момент занимает пост Патриарха. Просто сразу формируется отношение: ты – чужой. Ты свой в «Жан-Жаке», но чужой для народа.

Повестку дня сегодня диктует власть. Она креативней. Она предлагает какие-то гигантские проекты и все время их реализует. А активность в ответ на эти проекты все время очень предсказуема. Но дело в том, что построить олимпийский кластер интересно. Провести Олимпиаду интересно. Выиграть кучу медалей интересно. А попытки на этом фоне кричать «украли столько-то», «украли то и это», «посадили двух экологов», «а почему не рассказали про трагедию черкесского народа» вызывают у большинства людей одну реакцию: «Сколько можно? Да мы гордимся тем, что наши ребята взяли первое место, 13 золотых медалей!»

И получается так, что одни реально делают, а вторые все время повторяют: «Воруют, воруют, воруют...» Дальше работает простая человеческая логика: если все своровали, то на какие деньги построили? И возникает своего рода когнитивный диссонанс, когда с одной стороны за власть выступают уважаемые западные эксперты типа президента МОК, а против начинают кричать те наши, от которых, как от оппозиции, в общем-то, ждешь какой-то позитивной повестки. Спрашиваешь: «А предлагаете-то вы что?» И тебе на полном серьезе заявляют, что надо было не Олимпиаду проводить, а каждому раздать по мини-айпаду. Такое ощущение, что человек вообще не понимает, о чем говорит.

Любая страна, какой бы она ни была — демократической или антидемократической, — борется за право проведения Олимпиады отнюдь не по экономическим соображениям. Одна из задач власти — это пиар страны. Олимпиада — это блестящий пиаровский проект, и Россия его провела с большим успехом.

Заметьте, как этот проект неожиданно похоронил тему коррупции при строительстве объектов. Опять же почему? Потому что критики, убежденные, что никто не будет всматриваться в документы, пропустили момент, когда власть научилась с ними бороться, причем их же методами. Власть стала в ответ читать антикоррупционные доклады и над ними издеваться, говоря: «Вот здесь неточно, здесь неправильно, вот этот объект включили в список, а он не имеет отношения к олимпийской инфраструктуре. А тут вы вообще о чем?» Доходит до того, что, казалось бы, либеральные СМИ, ранее дружно поддерживавшие эту тенденцию, вдруг стали задумываться: «Постойте, а может, действительно какая-то чушь написана?»

Нетщательность подготовки сводит на нет все усилия критиков. А самое главное — это неинтересно. Вот нашли дачу одного, дачу второго, дачу третьего. А дальше-то что? И так все знают, что у нас много богатых людей. Не задекларировано? Но кого этим сейчас удивишь? Можно подумать, у нас все всё декларируют.

Люди устали от этих разговоров. Сложилось определенное равновесие, в борьбе с коррупцией установился вечный пат, и общество во многом потеряло интерес к проблеме. Нет драйва, нет драмы. Это тоже нехорошо, но тем не менее коррупция сегодня – отнюдь не вопрос идеологии. Власть подходит к проблеме с практической стороны: вот есть воры, есть люди, которые не декларируют имущество и доходы, есть чиновники, которым надо прижать хвост, а есть чиновники, которым позволено больше, чем другим. А оппозиция пытается все перевести в идеологические рамки борьбы с «режимом Путина» и проигрывает. Тем более что «держи вора!» чаще всего как раз кричат персонажи с очень неоднозначной репутацией. Одно дело, когда о коррупции говорит академик Сахаров, а совсем другое – люди, сами много лет отработавшие в правительственных структурах и никогда не отличавшиеся безупречной репутацией.

Российская государственность: Механизм со смещенным центром тяжести

В России так и не сложилась система государственного управления, которая не реагировала бы на смену первого лица – как это происходит во многих странах, где государственный механизм сбалансирован. Смена президента или первого министра не влечет там за собой крутого поворота на новый курс. В России же, при вождистской системе власти, любой лидер имеет практически монопольную возможность повернуть страну в любую сторону, в какую ему покажется правильным повернуть. И поворачивали — достаточно почитать школьный учебник истории.

При этом нет никаких компенсирующих механизмов — ни сдерживания, ни балансирования, ни даже объяснения этого поворота. От личных качеств и предпочтений конкретного вождя зависит все, что происходит в стране. Если вождь демократ — то и власть более-менее демократическая; если он авторитарен — власть более-менее авторитарна; если лидер националист — власть неизбежно приобретает национальную, этническую окраску; если он религиозен или, наоборот, атеист — то по всей стране очень быстро распространяется соответствующий сигнал. Отсюда существующая системная проблема с переходом власти, с выбором нового царя, президента или генсека, когда приходится зачастую идти на компромисс, искать преемника, договариваться, и все это иногда приобретает карикатурный характер.

К слову, один и тот же вождь может успеть сильно измениться за время своего пребывания в Кремле, и мы не ошибемся, если будем, например, говорить о разных обликах Владимира Путина в разные моменты его нахождения у власти. Что делать с политической системой такой страны? Хороший вопрос. Можно ли выстроить демократическую политическую систему, если в конечном итоге от нее мало что зависит? Система обслуживает лидера. Лидер, в свою очередь, реализует положение Конституции, гласящее, что источником власти в стране является народ — а народу нужен лидер.

Похоже на замкнутый круг. Может быть, задача тогда заключается не в реформе власти, а в обеспечении адекватности лидера? Ведь сила того или иного руководителя очень заметно зависит именно от его адекватности, от его возможности чувствовать политический и идеологический запрос общества на то, какой человек сегодня нужен во главе страны

Как известно, самая предсказуемая черта российской власти — это ее непредсказуемость. В мире это воспринимают очень плохо. Россия в этом смысле непонятна для большинства западного мира, да и восточного, пожалуй, тоже — в Азии предсказуемость ценится еще больше, чем в Европе. Не зря символом России стал медведь — это одно из самых непредсказуемых животных, он может быть ласковым Винни-Пухом или злым и агрессивным хищником. Поэтому мир не может просчитать действия России, да и сами россияне часто чешут в затылке, говоря: «Ну да, умом Россию не понять». И все же такова объективная реальность, с которой мы имеем дело.

Один из авторов этой книги был неприятно удивлен тем, что президент Путин, в свое время объявив о возможности войны с Украиной, вначале объяснил все Бараку Обаме, потом объяснил все Ангеле Меркель, объяснил все Франсуа Олланду, объяснил все генеральному секретарю ООН, но долго ничего не объяснял ни своим избирателям, ни Совету Федерации, куда даже не явился лично просить разрешения на ввод войск, ни тем более Думе. Со стороны ситуация выглядит совершенно ненормальной — ведь если и надо кому объяснять, то в первую очередь российским гражданам, а потом неплохо бы и гражданам Украины разъяснить позицию России в этом вопросе.

На деле же никто не понимает, что происходит на самом верху — хотя президент, возможно, и считает, что все предельно ясно. Более того, мы видим, что в его силах повернуть ситуацию в ту или иную сторону, и никто больше не в состоянии это сделать. Почему руководителю страны в России постоянно оказывается доступен такой объем власти? Он может сам объявлять или не объявлять войны, сам подключать или не подключать армию, сам принимать решения об оккупации — или освобождении, если угодно, — соседних государств, объявлять холодную войну и т. п. То есть по закону-то не может — но на практике мы видим, что все именно так и происходит.

Этот разрыв между законом и реальностью очень интересен. Дело в том, что понятийно Путин уже все объяснил. Через средства массовой информации нам сообщили: русских бьют, фашизм наступает, власть в Киеве захватила хунта — как принято стало называть этих людей, хотя военных там не видно, — бандеровцы во власти. Другое дело, что информация сегодня и подается, и воспринимается так, как нужно конкретным людям. Это один из элементов современной войны — когда мы верим той информации, которой хотим верить, и объявляем пропагандой ту, которой верить не хотим. Но вопрос в другом. Неправильно утверждать, что власть лидера никем и ничем не контролируется. В России всегда существуют очень тонкие взаимоотношения между кумиром и толпой. Есть ожидающая толпа — народ. И есть уровень ее ожиданий.

В самом деле, антироссийская риторика на майдане звучала постоянно. Вся украинская революция была построена на жуткой антироссийской риторике. Отрицать этого нельзя. Антисемитская риторика тоже была. Партийные марши со свастиками были. Портреты Бандеры и Шухевича были. И у народа моментально просыпается историческая память: «Ах, они хотят наш флот выгнать? Из нашего русского города? Из нашего русского Крыма, который Украине отдал Хрущев? Что же это за президент, который отдаст наш Крым и наш Севастополь? Это что, повторение поражения в

Крымской войне XIX века? Не бывать такому!» Путин попросту не мог не ответить на этот посыл.

Но представим, что та же самая толпа дальше заявляет: «Молодец, здорово, сейчас мы всем наваляем». И тут начинается вторая часть истории – санкции. Некоторое время эйфория продолжается, слышатся крики: «Нам наплевать на санкции, мы патриоты, все здорово». Потом вдруг бюджет перестает получать деньги. Время идет, а денег нет. Надо платить зарплаты, а зарплаты падают. Привычный образ жизни разрушается. Из страны не выедешь. Товаров нет. Услуг нет. Народ говорит: «Какая, к черту, Украина? Зачем мы туда полезли?» – и возникает дикое негодование и недовольство кумиром. Поэтому, к слову, главная способность, которая требуется от людей на самом верху, – они всегда должны уметь достать кролика из шляпы.

ЗЕРКАЛО ДЛЯ РОССИИ

В поисках героя

Рано или поздно, анализируя хитросплетения политической и общественной жизни в стране, приходишь к достаточно тревожному выводу: как бы ни мерили себя россияне, в какое бы, условно говоря, зеркало они ни смотрели, это зеркало всегда находится вовне. Своего собственного, национального зеркала у страны нет. На самом деле, нетрудно догадаться, почему так получилось — потому что нет однозначного, устоявшегося взгляда общества на собственную историю. Россия потеряла реперные точки своего исторического пути.

Попробуйте ответить на вопрос: есть ли в российской истории абсолютные герои? Люди, образы которых прошли через все передряги политических пертурбаций, преодолели крутые повороты судьбы, истории и власти и не потеряли своего значения? С высокой степенью убедительности можно назвать такими героями русских святых — Серафима Саровского, например. Однако по большому счету эти исторические фигуры просто боятся обсуждать, к тому же большинство людей мало что о них знает. Да и находятся они, если угодно, вне политического контекста, олицетворяя собой как раз таки уход от мирской жизни.

Есть герои Великой Отечественной – но и они вызывают сегодня неоднозначную реакцию. Понятно, что за всем этим стоит определенная историческая концепция. Уже опошлен подвиг и панфиловцев, и Зои Космодемьянской, и Александра Матросова. Уже и на маршала Жукова вылили ушаты грязи – да, собственно, на всех, до кого смогли дотянуться. Уже и не ясно, кто войну-то выиграл. Уже и Красная армия – армия не победителей, а насильников. Да и Кутузова упрекают в том, что он сдал Москву, и говорят, что Багратион или Барклай де Толли были более талантливыми военачальниками, а Лев Толстой в своих книгах извратил историю Отечественной войны 1812 года, сделав Кутузова главным.

Пойдем дальше. Александр Невский? Он тоже какой-то не тот герой. Надо сказать, правда, что историки и в самом деле не усматривали в деяниях Александра Невского особого героизма. Героизация его образа произошла в конкретной ситуации – накануне Второй мировой войны, когда поступила команда снять патриотический фильм. Иосиф Сталин заложил в основу фильма определенную идеологическую концепцию, а режиссер Сергей Эйзенштейн и актер Николай Черкасов блестяще справились с задачей.

Может быть, Иван Грозный? Да что вы, помилуйте, разве можно воспринимать его как национального героя? Собственно, и Петр I – под очень большим вопросом, хотя он и повернул страну в новое цивилизационное русло. Иными словами, получается, что признаки героизма в российской истории в большинстве случаев не связаны с развитием, с реформаторством, и уж тем более не становились героями люди, которые продвинули страну вперед по пути эволюционного развития.

Можно было бы назвать героями первопроходцев, осваивавших Сибирь, – но и тут смотря для кого они герои. Ермак добавил стране территорию – чем не герой фронтира, причем по вполне американским меркам! Но если смотреть внимательнее, заметим, что Ермак был попросту бандитом. Да и присоединение земель само по себе вряд ли можно считать признаком героизма. Тот же Иван Грозный колоссально расширил территорию современной ему России. Притом те, кто с ним боролся, были не меньшими героями – но их практически никто не помнит, за исключением профессиональных историков. Остались неизвестными героями и церковники, противники Ивана Грозного, которые были им уничтожены.

Кроме того, Россия – страна многонациональная, поэтому у каждой нации по идее должны быть свои герои. И тут все вообще запутывается. Начнешь восхвалять Ивана Грозного – и запнешься о взятие Казани или Новгорода. В летописях мы читаем, что река Волхов, на которой стоит Новгород, стала красной от крови, а побоище при взятии Казани для татар является одной из самых страшных страниц истории. Для кого-то герой Алексей Ермолов, а для народов Кавказа он палач, проклятый персонаж. И наоборот, более позитивный для Кавказа деятель – Иван Паскевич.

В сфере политики общество раз за разом поляризуется по одной той же линии – диктатор или не диктатор. Наше историческое сознание всегда идеализирует диктаторов и очень не любит государственных деятелей. Все попытки поднять государственных деятелей на щит и сделать из них героев, начиная от Алексея Михайловича Тишайшего и заканчивая Михаилом Сперанским, Петром Столыпиным или, из относительно последних, Алексеем Косыгиным, обречены на провал. В памяти остаются совсем другие люди – кровопийцы и душегубы. Иван Грозный, Петр I, Иосиф Сталин. А Никита Хрущев, пришедший после Сталина и раскрепостивший страну, остался в истории анекдотом – не как автор оттепели, а как инициатор «слякоти» и человек, жестко ассоциированный с кукурузой.

Россияне гордятся своей литературой – и вообще культурой. Поэтому у нас в число предметов национальной гордости вошли писатели и прочие деятели искусств. Им прощается то, что не прощается остальным. Никого не волнует сексуальная ориентация ряда звезд балета или создателя «Русских вечеров» в Париже. Или вот абсолютно русский герой – Федор Шаляпин. Анна Павлова. Майя Плисецкая. Галина Уланова. Все это персонажи, не вызывающие никаких сомнений. Конечно, нельзя назвать их в полном смысле героями, но они по крайней мере бренды. Есть у нас и герои науки, герои освоения космоса, на которых тяжело бросить тень, сколько ни пытайся, – Королев, Циолковский, Гагарин. Но опять же это другое направление и другая тема.

И все же вернемся опять к политике. Выясняется, что был в России человек, оказавший бесспорное влияние на весь ход мировой истории, – Владимир Ленин. Единственный мыслитель, который, нравится нам это или нет, сформулировал идеологическую, мировоззренческую концепцию, которая определила развитие всего XX века и фактически в том или ином виде была доминирующей.

Что интересно, Ленина наше общественное сознание сейчас тоже выкинуло – хотя он за крайне недолгое время своего реального правления абсолютно изменил весь мир. Не будем сейчас рассуждать о знаке этих изменений – плюс или минус. Бесспорно то, что ни один российский политик никогда не производил такого глобального потрясения, как Ленин. И на Западе, как ни парадоксально, он остался знаковой фигурой, одним из главных идеологов XX века, человеком, изменившим ход развития человеческой цивилизации. А здесь его активно вычеркивают, при этом совершая большую ошибку — зачем отдавать наследие Ленина непонятно кому?

Почему это ошибка? Потому что благодаря Ленину, нравится это кому-то или нет, Запад сейчас живет так, как он живет. Ленин напугал буржуазию настолько, что она наконец осознала необходимость договариваться, создавать социальные пакеты, развивать гражданские институты. Посмотрите на количество социал-демократических партий, в разных вариантах действующих в мире, посмотрите, в скольких странах эти партии находятся у власти или находились в XX веке.

Напомним, что тот же Муссолини во многом вылупился из русской социал-демократической мысли — именно в рамках ее он получил образование и в дальнейшем уже от нее отталкивался, пытаясь, если угодно, идти по третьему пути, мимо социал-демократии Ленина и национал-социализма Гитлера. А Гитлер, в свою очередь, отталкивался от коммунистической идеи, создавая ее антипод. Так что Ленина и тут можно считать первоисточником.

При этом не надо смешивать Ленина и Маркса — Маркс ограничился экономической теорией, Ленин же разработал самое до сих пор актуальное пособие по захвату власти в стране. Можно спорить о том, сделал он это вместе с Троцким или нет, сути это не меняет: ленинская теория революции и практика создания партий оказались работающими до сих пор. И большая ошибка России как раз в том, что мы пытаемся анализировать день сегодняшний, откидывая гигантское историческое и политическое наследие, накопленное в начале XX века.

Сейчас иногда печально осознавать, что ни одна из противостоящих сторон не знакома с ленинианой. Когда видишь очередной майдан, поражаешься тому, как все повторяется и как судьба людей, захвативших власть, идет буквально шаг за шагом по тем канонам, которые если и не были прописаны в учебниках, то были продиктованы жизнью. И удивляешься – до какой же степени люди ничего знают, ничего не помнят и ничего не понимают.

Когда Ленин создавал свою теорию партии и разрабатывал социал-демократическую идеологию – еще до разделения РСДРП на большевиков и меньшевиков, – он на самом деле создал глобальную концепцию, которая в мире потом проявилась в разных вариантах. Большевизм и троцкизм, сыгравшие в XX веке огромную роль, обладали рядом почти непримиримых противоречий, но все это были элементы одной ленинской теории.

Внутри ленинской теории находятся и современные идеи Геннадия Зюганова, которые на самом деле близки к идеям Анатолия Луначарского — тот тоже не был готов отказаться от Бога. Концепция НЭПа в Советской России и признание (с определенными ограничениями) частной собственности, которое можно наблюдать у многих коммунистических партий, в том числе у КПРФ, тоже лежат внутри ленинской идеологии.

Иными словами, наследие Ленина гораздо богаче, чем мы привыкли думать. В советские времена ему не воздали должное из-за того, что надо было искать одного Владимира Ильича, который устраивал бы сталинистов; сегодня причины уже другие. Но как бы то ни было, это действительно единственный глобального уровня всплеск политической теории, который родила Россия за много столетий.

Безусловно, Ленин много почерпнул из марксизма, созданного западными мыслителями, — но его социал-демократическая теория по сути не западная. И ни Карл Маркс, ни Фридрих Энгельс не оказали такого влияния на историю более чем ста последних лет, какое оказал Ленин. Это сыграло роль и в самой России, когда в 1910–1920-е годы прошлого века вдруг случился взрыв — интеллектуальный, художественный, поэтический, музыкальный, культурный. Произошло раскрепощение — Россия поймала драйв. Но, к сожалению, после — благодаря 70-летнему правлению компартии с ее догматизмом и последовавшему в постсоветский период отказу от идеологических ценностей и потере уважения к идеологии вообще — все это ушло в песок.

Коллективный Афоня

Короткая память нынешнего поколения связана с дискретностью российского исторического знания. Никто не воспринимает Россию как страну с преемственностью развития, никто этого не видит. И методология изучения истории, и то, как на наших глазах меняли героев, ломали памятники, ставили новые, — все способствовало потере чувства исторической причастности. Каждое поколение получает страну чуть ли не с чистого листа — а то, что было раньше, это уже практически другая страна.

Конечно, во многом она и была другая, но это не должно мешать восприятию преемственности, а преемственность оказалась потеряна. И есть все основания утверждать, что причина этой утери преемственности лежит как раз в советском периоде. Советского человека заставляли забыть русскую историю, забыть свои корни, подменить семейную традицию классовой. Слом произошел именно тогда.

Вообще, если серьезно, мы говорим об очень молодой нации. Русские пытаются осознать себя древним народом, но если себе не врать, то по большому счету, говоря о России, историю нации можно отсчитывать не ранее чем с 1861 года — с отмены крепостничества. Именно после отмены крепостного права русские стали складываться как народ, затем они попали в жуткие котлы двух мировых войн, и основополагающей для психотипа современного россиянина является победа в Великой Отечественной войне.

Мы, по большому счету, воспринимаем свою довоенную историю как достаточно бледную картинку, во многом условную, придуманную в советское время. Дальше — великая Победа, послевоенный взлет, полет Гагарина в космос в 1961 году, и потом опять некая пауза, требующая новых достижений, с которыми есть определенные проблемы.

Нельзя не отметить, что русские сейчас — чемпионы мира по самобичеванию. Нередко мы даже стыдимся того, чем по большому счету могли бы гордиться. Вместо этого мы усиленно создаем образ страны, у которой ничего не получается, — эдакий коллективный Афоня: добрый, хороший, но неудачник.

Раскроем читателям «страшную» тайну: однажды посол США, уезжавший на родину после длительного пребывания в России, несколько часов беседовал с одним из российских официальных деятелей и в ходе разговора признался: «Я никогда не скажу этого публично, но вам скажу. Россия — абсолютно цивилизованная, развитая, демократическая западная страна. Гораздо более преуспевшая, чем многие страны Европейского Союза».

Мы же себя видим совершенно по-другому. Мы искренне считаем, что «там» все замечательно и хорошо, а «у нас» нищета и ужас. Хотя по большому счету у тех, кто так считает, просто нет возможности выехать и посмотреть. Это классика русского самобичевания, амбивалентность русской души, о которой писал еще Фрейд. Мы постоянно чувствуем себя виноватыми во всех бедах мира. Поэтому, когда русского мужчину спрашиваешь «где был?», он начинает мучительно вспоминать – а может, и правда он где-то по дороге домой ненароком изменил жене?

Но если начать перечитывать классическую русскую литературу второй половины XIX – начала XX века, мы нигде не увидим этого чувства своей второсортности по отношению к западной цивилизации. Чехов, например, очень иронично пишет о европейских боннах и гувернантках, всех этих французах-англичанах-немцах – фактически издевается над ними.

Хорошо, допустим, что Чехов не настолько показателен – у него вообще нет ни одного положительного героя, Антон Павлович страшно циничный писатель. Но ни у Тургенева, ни у Толстого, ни у Пушкина мы не увидим никакого «преклонения перед Европой», никакого ощущения, что Россия – страна отсталая. Напротив, иностранцы массово приезжали сюда, мы победили в войне 1812 года, европейцы на нас работали и считали за счастье пристроиться где-нибудь в русской глубинке, воспитывая купеческих или помещичьих детей.

С какого же момента в русской культуре началось это самоунижение и самоуничижение? Когда исчезло то чувство превосходства над Европой, которое четко прослеживается у Чехова? Ведь советская идеология об этом тоже не забывала.

То ли сработал обратный эффект пропаганды, когда люди разочаровались в доказательствах того, что в нашей стране все замечательно, а на Западе сплошной негатив, — при том что за десятилетия, прошедшие после Второй мировой войны, все сильно изменилось (как сказала Нэнси Рейган: «Советские женщины самые счастливые, потому что они не знают, как надо жить»). То ли государственное унижение постсоветского периода, ставшее уже привычным, оказало свое воздействие. Но, повторим, в российской истории не просматривается никаких свидетельств того, что мы всегда воспринимали свою страну как отстающую — хотя, конечно, бывало всякое.

По всей видимости, дело в том, что, потеряв в очередной раз страну, россияне стали относиться к себе гораздо критичнее независимо от того, что им говорит власть, и от того, что говорят партнеры или враги на Западе. Просто для народа дважды реально потерять государство в течение одного столетия — это очень сильная травма. И очень важно, что президент Путин эту тенденцию самоуничижения видит и пытается ее переломить.

Знает ли Путин рецепт лечения этой национальной травмы? Конечно, нет. И вряд ли кто-либо еще знает, как действовать в подобных случаях. Просто Путин, переживший эту травму сам, интуитивно понимает, в отличие от молодого поколения российских политиков, роль этой травмы в политической культуре страны и пытается с ней иметь дело.

Накануне Олимпиады Владимир Путин сказал, что она нужна, чтобы встряхнуть страну. И страна действительно встряхнулась. Приятное впечатление произвело то, что Путин, организовав мероприятие на весьма высоком уровне — это, пожалуй, одна из лучших Олимпиад в истории, — сам занял очень скромную позицию. Он практически ничего не комментировал, бросил лишь одну фразу по поводу игры с американцами: «Правила есть правила», — не выступал, не давал интервью, не хвалился. Он весьма стильно провел эти Игры, и ожидание того, что они станут триумфом президента Путина, сумел как-то свести к тому, что это должен быть триумф страны.

При этом нельзя забывать, что Олимпиада, безусловно, хорошее подспорье, однако вряд ли способна стать долгосрочным инструментом решения проблем. На какое-то время уровень патриотизма возрастет, но значение спорта в российском культурном коде не стоит преувеличивать. Советский Союз совсем незадолго до своего распада провел Олимпиаду в Москве и выиграл ее, практически все рекордные олимпийские выступления СССР пришлись на последние годы советской власти, а уже после распада сборная стран СНГ, единственный раз выступившая в этом качестве, набрала фантастическое количество медалей.

Наступит выздоровление или нет, мы не знаем. Но ясно, что, пока эта проблема не будет решена и Россия не почувствует себя действительно великой, влиятельной страной, сверхдержавой, никакие Путины и успешные Олимпиады ее таковой не сделают. В конце концов, ты велик настолько, насколько сам ощущаешь себя влиятельным, а если ты ощущаешь себя ущербным, то любые твои шаги на внешнеполитической арене будут отражать эту ущербность. И это то, что мы видели на протяжении последних 25 лет.

Непонятая Россия

О России говорят и думают все: от президента до простых граждан. Но при этом все имеют в виду совершенно разные вещи. В знаменитой книге Ильи Ильфа и Евгения Петрова «Одноэтажная Америка» есть интересное наблюдение. Куда бы писатели ни приезжали в США, местные жители старались убедить путешественников, что здесь – не настоящая Америка, а для того, чтобы увидеть настоящую, надо ехать куда-то еще. Похоже, с Россией все обстоит ровно наоборот. Почти все, как правило, уверены, что там, где они, и есть настоящая Россия.

Когда президентом был Дмитрий Медведев, он описывал в своих программных выступлениях страну, которой не существовало в реальности, но которую ему хотелось бы построить и президентом которой он хотел бы быть. Настоящая Россия его по многим причинам не удовлетворяла. Он рисовал в своей голове — и транслировал это видение всем нам — другую Россию: модернизированную, инновационную, демократическую, где нет коррупции, но правит закон.

Однако он так и не предложил своего рода «дорожной карты» политической и экономической модернизации страны, а в основном пытался решить многочисленные отдельные проблемы, делая это бессистемно и, соответственно, в большинстве случаев безуспешно. Решая одни проблемы, он невольно усугублял другие, теряя время и растрачивая свой авторитет и возможности.

В политическом мировоззрении Владимира Путина живет вторая Россия. Она сформировалась у него если не в 2000 году, то в любом случае достаточно давно и мало изменилась с тех пор. Когда-то его Россия тоже была полностью виртуальной, но с тех пор некоторые ее черты обрели характер видимой реальности — не в последнюю очередь благодаря целостности и системности сформированного Путиным образа.

Третья Россия существует в головах российских оппозиционеров. Она имеет не больше общего с реальной страной, чем представления Путина или

Медведева, но, кроме того, оппозиции, во-первых, не удалось предложить системную картину, которая стала бы альтернативой путинскому видению. Во-вторых, не сложилось и образа, равного по привлекательности, скажем, медведевскому – современной и динамичной страны. В-третьих, увлекшись борьбой с властью, оппозиция так и не сумела привлечь на свою сторону народ. В итоге будущая страна, которую все последние годы предлагала построить оппозиция, оказалась непривлекательной для народа и неконкурентоспособной по сравнению с видением, представленным российским руководством.

Четвертая Россия – это Россия эмигрантов. Она живет в памяти, мыслях и представлениях огромной российской диаспоры, разбросанной по всему миру. Это отчасти случайное сочетание информации, почерпнутой из общения с бывшими соотечественниками, новостей из Интернета и телепередач, а также впечатлений, полученных при поездках на бывшую Родину. По разным причинам немалая часть эмигрантов считает, что знает страну лучше, чем те, кто в ней живет.

И, наконец, пятая Россия живет в представлениях, стереотипах и фобиях иностранцев, которые с разной степенью внимания или настороженности следят за одной из самых больших и непредсказуемых стран мира. Главная для них проблема России – это совершенная невозможность понять, что она выкинет в следующий момент, поэтому, как им кажется, лучше всего держаться от нее подальше и по возможности сочувствовать ближайшим соседям России, для которых желание «держаться подальше» неисполнимо.

Одна из трудностей, с которыми Россия сталкивается на Западе, состоит в непонимании того, что российская политическая система внутри страны воспринимается как вполне демократичная. Это очень важный момент: то, как воспринимается Россия за рубежом, не имеет ничего общего с тем, что Россия собой представляет на самом деле.

Почему? Возможно, потому, что за многие века существования России примеры действительно выдающихся дипломатических решений можно буквально пересчитать по пальцам. К тому же на протяжении всего XX века Россия – СССР – была страной-изгоем, главным идеологическим противником Запада. Выросли поколения людей, воспринимающих Россию как империю зла.

Нужно ли стараться как-то изменить эту ситуацию? Прежде чем что-то менять, следует позаботиться о каналах изменения, о путях влияния. Но Россия не имеет реальной возможности быть услышанной. В первую очередь, она отгорожена языковым барьером – а язык определяет очень многое, в том числе и ментальность. У нас с Западом нет пересекающихся смыслов. Нет пересекающихся образов. Мы зачастую называем одним и тем же словом абсолютно разные вещи и вкладываем в них абсолютно разные смыслы.

Исходя из этого, очень часто о России пишут приехавшие сюда иностранные журналисты, не понимающие реально, что здесь происходит; по-своему относящиеся к стране и изначально находящиеся в рамках своих предубеждений. Это можно сравнить с тем, как в советское время у нас писали об Америке – и какой дикой глупостью нам показались те тексты, когда мы смогли поехать и все увидеть своими глазами. Но за счет того, что Россия на протяжении века была закрытой страной и количество русских на самом деле крайне невелико по сравнению с теми же индийцами или китайцами, выяснилось, что мы не интегрированы в культурный или туристический обмен.

Мы по-прежнему остаемся закрытой, непонятной и странной державой. Интересно, что для арабов и вообще для мусульман это перестало быть характерным – во-первых, на территории Соединенных Штатов проживает немало людей, исповедующих ислам, а во-вторых, арабы в свое время вложили очень серьезные деньги в Голливуд, в политологов, в политтехнологов, в журналистов. Тем же самым занимался и Китай. И это то, чего никогда не делала Россия.

Россия никогда не пыталась создать себе «культурную базу» за рубежом, воспитать плеяду людей, чувствующих и понимающих ее. Кроме того, большинство россиян, эмигрирующих на Запад – в отличие от китайцев, арабов, индийцев, немцев, французов или японцев, – занимают в лучшем случае однозначно антироссийские позиции, а в худшем – делают вид, что России вообще не существует на свете, стараясь сами как можно больше превратиться в американцев, немцев или англичан.

Понять этот феномен можно. До 1990-х годов речь шла либо о политической, либо об экономической эмиграции, когда люди бежали, переживая определенный внутренний кризис. Они не просто уезжали, а умирали для России навсегда. И дальше уже нужно было объяснить свое положение самому себе. Это, конечно, накладывало заметный отпечаток. Кроме того, разные волны эмиграции – их было где-то пять или шесть на протяжении XX века – покидали по сути разные России. Кто-то уезжал из России царской, кто-то – из Росии времен Гражданской войны, кто-то – из России Сталина, кто-то – из России диссидентов и академика Сахарова. Оказываясь за границей, они не могли найти общего языка между собой и прийти к общей оценке собственной страны. Они ненавидели и любили разные вещи и ругались между собой гораздо сильнее, чем ругаются разные политические движения внутри России.

В результате российская «мягкая сила» или «пятая колонна» на Западе так и не сформировалась. Напротив, эмигранты формировали атмосферу ненависти в истеблишменте. Многие из них работали на государство, занимались «советологией», «кремлинологией» и политологией, и это всегда были законченные противники России. Как вариант, это люди, которые понятия не имеют о том, что собой сейчас представляет Россия, но для жителей тех стран, где они сейчас находятся, именно они, как ни парадоксально, являются представителями России и по ним судят о стране.

Фактически Россия является чуть ли не единственным государством – в компании, пожалуй, с Северной Кореей, – о котором не известно по большому счету ничего. К примеру, в свое время был создан хороший канал *Russia Today*, с прекрасной командой, с талантливыми журналистами. Но беда в том, что, чтобы его включить и посмотреть в тех же США, нужно изначально хотеть его найти и узнать что-то о России. Иными словами, нужно было работать с американскими каналами, с широкими массами, а вместо этого был использован совершенно обратный подход.

В результате *Russia Today* оказался маргинализированным и фактически перестал быть источником сведений о России. Сейчас это просто еще один новостной канал типа *CNN*. Смысла большого в нем нет, потому что все равно все смотрят *CNN* или *Reuters*. В истеблишменте *Russia Today* не представлен, хотя определенную популярность имеет – правда, среди довольно узкой группы зрителей.

Таким образом, Россия до сих пор не объяснена миру – и у нее нет механизмов объяснения, поскольку она сама никогда особо не задавалась этим вопросом. Те, кто отсюда уезжал, как мы уже сказали, Россию не поддерживали, вместо объяснений занимались разоблачениями — в кавычках или без кавычек — и устраивали такие схватки между собой, что нормальный западный обыватель бежал от них как можно дальше.

Один из авторов этой книги долгое время живет и работает в США. Во всех опросах, которые проводились за последние годы по поводу самых влиятельных русских в Соединенных Штатах, он стабильно занимал третье-четвертое места. На первых местах обычно оказывался кто-нибудь из икон большого спорта — такие мировые знаменитости, как Павел Буре, Александр Овечкин, Анна Курникова или Мария Шарапова. Второе же место всегда отдавалось танцовщику и балетмейстеру Михаилу Барышникову, особенно после того, как он сыграл эксцентричного русского художника в последнем сезоне сериала «Секс в большом городе».

Барышников является для американцев символом России — при этом, как известно, после своего «невозвращенчества» в 1974 году он в Россию так ни разу и не приезжал. При всем к нему уважении, Михаил Николаевич до сих пор панически боится, что его тут же арестуют и он окажется в застенках КГБ, и ни уговоры близких друзей, ни выставка картин из его личной коллекции, проходившая в конце 2013 — начале 2014 года в ГМИИ им. А. С. Пушкина, не заставили его поменять свои убеждения и приехать. И тем не менее в глазах американцев он продолжает оставаться человеком, глядя на которого они формируют представление о России.

Строго говоря, ни по Овечкину, ни по Шараповой, ни по Буре тоже нельзя судить о России, они все очень американизированы. Другие же персонажи из этого списка, как правило, американские журналисты и политологи русского происхождения, в большинстве своем занимают антироссийские позиции – их профессия предполагает зарабатывание денег на конфликте России и Запада. Если Россия и Запад не конфликтуют, то интерес к этим людям падает, телевизионные каналы им не звонят, финансирование резко сокращается, а вот нынешняя ситуация является для них огромным подарком. Честно говоря, России стоило бы не игнорировать эту проблему, а пытаться ее решать – нельзя быть выключенным из глобального информационного пространства.

ДВА «ВАЛДАЯ»

2011 год: Возвращение президента

Очередное заседание международного дискуссионного клуба «Валдай», которое прошло в сентябре 2011 года, состоялось уже после того, как Владимир Путин на съезде «Единой России» был, пусть и неформально, объявлен кандидатом в президенты, а Дмитрий Медведев, соответственно, кандидатом в премьер-министры. Естественно, мероприятие вызвало большой интерес. С одной стороны, был решен главный вопрос, который всех волновал, – кто будет возглавлять Россию в ближайшее время. С другой стороны, пока не было понятно, с чем этот человек возвращается; можно ли войти дважды в одну и ту же реку; изменился ли Путин или остался прежним; как к перспективе его возвращения отнесется страна и весь остальной мир.

Первое, что сделал Путин после того, как на съезде его назвали кандидатом в президенты, – опубликовал в газете «Известия» статью о Евразийском Союзе и поехал в Китай. Эти два действия произвели на экспертное сообщество большое впечатление. Стало понятно, что Путина интересует в первую очередь не Запад, не «перезагрузка», не диалог с Обамой и даже не российские проблемы — вектор его внимания явно сместился на восток.

Организаторы Валдайского форума попытались привлечь внимание к предвыборной борьбе в России, но в итоге эксперты увидели все тех же давно знакомых людей, представляющих давно знакомые партии под давно знакомыми лозунгами и очевидно опасающихся слишком активно критиковать Кремль и бороться за победу с «Единой Россией». С гораздо большим интересом гости форума ожидали встречи с представителями Сколково. Все думали, что сейчас их встретят молодые, крутые, талантливые ребята, а увидели троих мужчин за семьдесят, которые, оказывается, и являлись главными лицами Сколково.

Люди это были уважаемые, один из них — известный математик, академик, бесспорно, замечательный ученый, двое других оказались по большому счету менеджерами, давным-давно работающими в различных политических структурах. В конечном счете впечатление они производили слегка странное.

Есть довольно популярное определение: инновация — это опровержение очевидного. Так вот, у участников встречи возникли серьезные сомнения в том, что эти безусловно заслуженные люди, находящиеся, однако, уже в постпенсионном возрасте, действительно способны опровергать очевидное и смотреть на ситуацию в экономике и политике с альтернативной точки зрения. Нет сомнений, что они могут активно совершенствовать и развивать уже имеющиеся проекты, но трудно ожидать от них борьбы со стереотипными, традиционными представлениями, по-настоящему свежего взгляда в будущее. А это уже не инновации.

Трудно было избавиться от ощущения, что весь смысл Сколково свелся к попытке возродить лучшие советские традиции, такие как создание специализированных школ, отборы, олимпиады и т.п. Это все очень нужно, в свое время система неплохо работала, но тем не менее это взгляд назад, попытка использовать прошлый опыт, и непонятно в таком случае, в чем заключается инновационность Сколково в условиях XXI века. Увиденное диссонировало с тем, что западные эксперты слышали о Сколково и инновационных проектах.

На вопрос, все ли у них в порядке с финансами, представители Сколково ответили, что у них все хорошо, все их поддерживают и они уверено смотрят в будущее, но при этом в российском бюджете на ближайшую перспективу было запланировано резкое снижение расходов на образование, на медицину, на науку. Оказалось, что их это не волнует. Было сказано, что Сколково должно быть системообразующим институтом в российской модернизации, в инновациях. Иными словами, они явно смотрели на себя как на исключительный объект, своего рода игрушку Медведева, подобную потешным полкам Петра I. Однако из потешных полков в итоге получилась приличная армия, а вот перспективы Сколково стали вызывать гораздо больше сомнений, чем раньше.

Многим участникам встречи сразу вспомнилось известное высказывание Маргарет Тэтчер, что Советский Союз — это Верхняя Вольта с ядерными ракетами, и возникли опасения, что Россия может превратиться в Верхнюю Вольту со Сколково. Ядерные ракеты потихоньку разрушаются, а Сколково, куда вкачиваются огромные деньги, рискует превратиться в зону чисто политического внимания.

Один из вопросов был связан с тем, что все попытки привлечь молодых талантливых людей в систему закончились по большому счету неудачей. При явном запросе на несистемных людей, типа Григория Перельмана или, допустим, Стива Джобса, попасть в Сколково для них проблематично — там существуют жесткие критерии того, что считать успехом, которые с очевидностью станут препятствием для подобной интеграции.

Символично, что незадолго до встречи с представителями Сколково участники форума вернулись из Калуги, где выслушали много рассказов о жизни и творчестве уроженца этого города Константина Циолковского — гениального самоучки, основоположника современной космонавтики. Так вот, есть реальная опасность того, что сколковская структура может стать кладбищем для таких гениев-самоучек, принципиально выламывающихся из любой системы. Но, к сожалению, ответ на вопрос, касающийся данной проблемы, так и не был получен.

Наконец дело дошло до встречи с Владимиром Путиным, от которой все ожидали очень многого. Было заметно, что Путин находится в очень хорошей форме – политической, физической, интеллектуальной. С гостями форума он разговаривал как абсолютный лидер страны, воспринимающий свое лидерство как нечто естественное и не рефлексирующий по этому поводу, самодостаточный, совершенно уверенный в себе человек. А кроме того, стало ясно, что Путин никогда не мыслил себя не лидером России.

Что любопытно – то, как Путин говорил о Медведеве (а он впервые отвечал на вопросы о Медведеве подробно и развернуто, поскольку Дмитрий Анатольевич больше не являлся его оппонентом, пусть даже и виртуальным), как формулировал похвалы ему, оставляло чувство какой-то двусмысленности. К примеру, Путин сказал: «Я же отошел в сторону, дал Медведеву площадку. Он ездил в зарубежные поездки, сам занимался внешней политикой, сам занимался безопасностью, это были его вопросы». То есть создавалось такое впечатление, что Медведев занимался всеми этими вопросами не в силу своей президентской должности, а потому что Путин отошел в сторону и дал ему «порулить».

На вопрос о том, как он оценивает действия президента Медведева, Путин ответил: «Ну как я оцениваю Медведева? Хорошо оцениваю, я рекомендовал его в президенты, я рекомендую его в премьер-министры. Наша дружба усилилась за эти годы. Медведев проявил себя как ответственный человек, который хорошо работал на посту президента, он даже поддержал нашу политику модернизации. Он также поднял вопрос о коррупции на государственный уровень, хотя, конечно, надо сказать, что сделано было крайне мало». Иными словами, каждая вроде бы позитивная фраза заканчивалась с интонацией «да, но».

Всех интересовал вопрос, приходит ли Путин в политику как новый человек с новыми идеями и новой программой, и он ответил отрицательно. В ходе разговора участники встречи в очередной раз могли убедиться, что у него в голове существует связная, цельная, непротиворечивая картина мира, где все разложено по полочкам. Поэтому он чувствует себя спокойным и уверенным, у него все ясно, как дважды два четыре, куда ни посмотри, — иными словами, присутствует некое системное понимание ситуации.

Трудность для его оппонентов состоит в том, что поставить под вопрос целостность взглядов Путина на российскую и мировую политику невозможно, а оппонировать отдельным частям этой целостности, затевать спор по мелочам бессмысленно — он эти споры игнорирует, не воспринимает всерьез. Надо предлагать фундаментальную альтернативу. Минусом российской политической ситуации является то, что этой альтернативы никто предложить не может вот уже много лет.

В этом проблема и российской оппозиции, и взаимоотношений Запада с Россией – никто не предлагает альтернативы, все способны только устраивать спор по деталям: права человека, свободная пресса, внешняя политика, газ, нефтяная игла и т.п. Для Путина это становится дополнительным подтверждением его правоты – он чувствует, что видит ситуацию гораздо глубже, чем его оппоненты.

Конечно, Путин – политический самородок. Американцы называют таких людей «политическое животное»: это лидеры, которые кожей чувствуют, как нужно поступать, хотя разумом объяснить свой выбор не могут; в сложных ситуациях они совершают на первый взгляд дикие шаги – и побеждают. Дмитрий Медведев начал терять позиции как раз из-за того, что он политическим животным не был – постоянно рефлексировал и пытался давать объяснения.

Исходя из этого получается, что Путину по большому счету никто не нужен – ни союзники, ни соратники, ни преемники, ни помощники, ни команда – ему нужны только последователи. Все остальное для него неважно, он самостоятельный и самодостаточный политик. В этом есть свои плюсы и минусы. Плюс в том, что он действительно политический самородок, и с этим не поспоришь. А минус – что не существует методов воздействия на таких людей.

Путин принимает решения независимо от того, кто и что ему говорит, решения эти неожиданные, и их никто не в состоянии просчитать – ни его союзники, ни противники. Вместе с самодостаточностью и уверенностью в собственной правоте получается очень интересная комбинация лидерских качеств. Можно сказать, что Путин сам является детищем той политической и культурной системы, которая в России складывалась веками.

Итак, судя по общему впечатлению от встречи с Путиным, он, во-первых, не утратил глубокого и комплексного понимания того, как живет Россия и в каком состоянии она находится, а во-вторых, у него имелось видение – как он сказал, на пятьдесят лет вперед – того, к чему Россия должна прийти. Однако было похоже, что маршрута – как «отсюда» попасть «туда» – у Путина по-прежнему нет.

На самом деле это проблема многих визионеров, людей, обладающих вúдением: они знают, где сейчас находятся, и видят, куда хотят попасть, но не знают, как это сделать. У них есть точка А и точка В – беда лишь в том, что дорога между двумя пунктами не проложена, шоссе не построено.

В книге «Путин–Медведев. Что дальше?» мы писали, что политика Путина – это политика коротких дистанций. Он ставит перед собой какую-то задачу, решает ее — условно говоря, добегает до очередного угла, — затем оглядывается по сторонам и смотрит, правильно ли он бежал. Если анализ обстановки показывает, что бежал он неправильно, прежняя идея отбрасывается, причем Путин особо не переживает по этому поводу — ну, сделал ошибку, ничего страшного, повернем в другую сторону. Такая судьба уже выпадала различным начинаниям, направленным на решение каких-то проблем в стране, так случилось и с «Народным фронтом», и, по большому счету, с Медведевым. Путин откидывает не оправдавшую себя идею и двигается дальше.

Путин представляется нам спринтером, который бежит стайерскую дистанцию короткими рывками, каждый раз проверяя по компасу, правильно ли он бежит. Он очень хороший спринтер, отлично умеющий решать конкретные задачи — изобретательно, непредсказуемо и ни с кем не советуясь. Но не факт, что так он сможет добежать до конечной цели. Политика коротких дистанций входит в противоречие с необходимостью иметь в России долгосрочную стратегию, особенно если человек является абсолютным лидером страны и думает о ее будущем всерьез.

Еще один вывод, который можно было сделать по итогам встречи, заключается в том, что Путин по сути не нуждается в политической элите. Он самодостаточен и уверен в себе, а кроме того, хорошо знает цену российской политической тусовке – знает о ее продажности и склонности к предательству и презирает ее за это. Еще свежа была в памяти история с Лужковым, от которого все моментально отвернулись, когда он попал в опалу, и аналогичная история с Кудриным, да и с Борисом Ельциным после его ухода с поста президента произошло то же самое.

Для политиков в России стало общим местом, что, как только ты теряешь свои позиции, лишаешься власти или административных возможностей, ты тут же превращаешься в половую тряпку, о которую все вытирают ноги, несмотря на то что еще вчера целовали тебя во все места. Вот эта продажность, нечестность, лизоблюдство Путину по большому счету не нужны. Есть подозрения, что он не с каждым даже за руку будет здороваться из-за здоровой брезгливости. Он сам себе элита, сам себе советник, сам себе преемник и сам себе наследник.

Элита, в свою очередь, боится Путина, поскольку отлично понимает, что ему известно, что эти люди на самом деле собой представляют, а он знает, что они это знают. Элита знает, что Путин не особенно нуждается в ее личной лояльности, а он знает, что вся эта лояльность гроша ломаного не стоит. И вот эти отношения, когда, с одной стороны, элита Путину не нужна, а с другой стороны, она готова в любой момент его предать и продать, делают российскую элиту еще уязвимее, а положение Путина еще более уникальным.

Принято говорить о путинской команде, но все знают, что у Путина нет команды. Есть люди, которые в силу разных причин лично к нему лояльны, и их, кстати, не так уж много. Остается эдакий волк-одиночка, на котором лежит вся ответственность за происходящее в российской политике и который готов принимать все шишки за свои и чужие промахи, однако самодостаточность и целостная картина мира помогают Путину не терять уверенности.

Это, к слову, большая проблема для Запада: работать с Путиным трудно. Как ты ему ни доказывай – он все равно сделает по-своему, как сам считает нужным, любые политические и экономические решения он принимает, исходя из известной ему одному логики, которая не просчитывается. Конечно, лидер, шаги которого невозможно просчитать, действующий в условиях, когда в стране нет стабильной системы государственной власти, а экономика находится в переходном периоде, – это в определенном смысле серьезный минус, и мы уже об этом говорили. Но ничего не поделаешь – таковы российские реалии.

В какой-то момент Путин повернулся к Николаю Злобину, одному из авторов этой книги, и сказал:

– Николай, а как же без вашего вопроса?

– Владимир Владимирович, – начал Злобин, – пока вы работали премьер-министром, большинство людей предполагало, что вы никуда не уходили и вернетесь на пост Президента. Так оно и оказалось.

— Я знаю об этих слухах, — ответил Путин.

— Да, я действительно это подтверждаю, слухи очень сильны, была даже уверенность, — продолжал Злобин. — Но у меня возникает вопрос: с одной стороны, та система управления, которая была вами создана, в значительной степени зависит от вашего непосредственного присутствия внутри этой системы, она заточена под ваши руки, под руки Путина. Как вы видите ее функционирование без самого Путина, возможно ли это? Или вы вынуждены были вернуться, потому что система не работает без вас? Она просто разрушится?

Тут Путин усмехнулся и сказал, посмотрев на Злобина: «Что-то вы меня, Николай, рано хороните». Все засмеялись. Злобин ответил, что, напротив, он желает Путину многих лет жизни, но вопрос не о самом Путине, а о системе управления, которая создана в стране. Системе, которая, на его взгляд, не подразумевает во главе ее никого, кроме самого ее создателя и конструктора.

— И второй вопрос, — продолжил Николай. — Мы всю последнюю неделю встречались здесь в России с разными политиками, с лидерами главных партий. Это одни и те же люди, они проходят уже не первый избирательный цикл. Мы видим одни и те же лица из года в год. Почему не происходит обновление российской политической элиты? Почему нет новых лидеров национального масштаба, федерального масштаба? За все время вашего президентства в России не возникло ни одного серьезного политика. Даже в президентской выборной кампании не появилось ни одного нового лидера в федеральном масштабе.

— Как не появилось, а Дмитрий Анатольевич Медведев? Новый лидер, новый политик, — возразил Путин.

— Но, во-первых, он — до сих пор президент, какой же он новый политик? А во-вторых, он прошел через все вслед за вами, поэтому новым политиком его назвать по сути нельзя. А есть еще кто-то?

— Есть, например, Дмитрий Медведев, — повторил Путин, но, услышав ироничные смешки, быстро среагировал: — Ну как же, есть еще, есть, но остальных называть я вам не буду.

Было понятно, что это и в самом деле проблема, неважно, задумывался об этом Путин или нет. Однако, как очень цепкий человек, он явно сразу же обратил на проблему внимание, она стала его тревожить, и он пытался как-то объяснить этот феномен, в том числе для самого себя. В ходе обсуждения Путин сказал:

— Николай, мы знаем, что сегодня главная проблема американских республиканцев — отсутствие у них ярких лидеров. Значит, не бывает власти, когда лидеров нет?

— Владимир Владимирович, — возразил Злобин, — вы же понимаете, там могут быть лидеры яркие или неяркие, они приходят и уходят, но система функционирует. Слабый лидер – значит, система его вытаскивает. В России этого нет. Как страна будет функционировать без вас?

Путин начал рассуждать на эту тему, приводил примеры, свидетельствующие, что проблемы лидерства возникают в последнее время в разных странах. Злобин в ответ доказывал, что на Западе проблемы лидерства не приводят к кризису системы, а в России ситуация строго обратная, и в конце концов Путин вынужден был прямо признать, что проблема действительно есть.

Кстати, на первый вопрос – о перспективах сохранения системы ручного управления, созданной в России, после возможного ухода Владимира Путина из политики – ответа так и не было.

Эта тема поднималась еще несколько раз в течение вечера. Кажется, у Путина появился повод для раздумий о том, что же случится с политической системой, которую он создал, – потому что его возвращение явно частично связано с признанием того, что без него эта система развалится. Без Путина она не функционирует, она создана персонально под него. Но таким образом система становится неустойчивой, а Путин – зависимым, и в этом кроется серьезная угроза. У Путина связаны руки, он не может никуда уйти, ему нужно заниматься продолжением своей политики.

Сам он видит систему вполне адекватной – по его мнению, там ничего особенно менять не надо.

Но для системы это опасно, потому что она опирается на волю, видение, мировоззрение и решения одного человека, на которого никто не может оказать влияния. Система, построенная на колоссальном политическом авторитете единственной личности, сама по себе слаба, и если эту личность изъять из конструкции, все начнет рушиться очень быстро. Мысль, возможно, банальная, однако она представляется весьма важной.

2013 год: Все мы родом из СССР

После выборов 2012 года Путин почти на полгода куда-то исчез. Он не выступал после инаугурации, не комментировал свои предвыборные статьи, не выражал своего мнения по очень многим вопросам – он просто пропал до осени. Такое ощущение, что в стране вообще не было президента. Итогом этой затянувшейся паузы стала его речь на Валдайском форуме 2013 года, где Путин в присутствии целого ряда ведущих европейских политиков и членов Валдайского клуба очень четко озвучил, как он видит систему ценностей для России и чем российские ценности, приоритеты и менталитет отличаются и будут отличаться в его глазах от тех, которые существуют в окружающем мире, в первую очередь на Западе.

Валдайский форум 2013 года был особенным по нескольким причинам. Во-первых, это была десятилетняя годовщина существования Валдайского клуба, поэтому чувствовалось желание организаторов сделать встречу запоминающейся. Было приглашено гораздо больше гостей, чем обычно, приехало много российских участников, в том числе представители оппозиции, включая Владимира Рыжкова, Льва Пономарева, Геннадия Гудкова, Ксению Собчак и Михаила Делягина, то есть людей, бывших в свое время на Болотной и активно выступавших против Путина. Им дали возможность выступить на разных круглых столах и презентациях, что сделало Валдай еще более интересным, хотя, по большому счету, ничего сногсшибательного они не произнесли.

Во-вторых, всем было интересно посмотреть на Путина третьего срока, президента, который вернулся. Незадолго до этого газета *New York Times* опубликовала его статью, шли события в Сирии, только что Путин предложил вариант с уничтожением химического оружия, что отодвинуло, а то и ликвидировало опасность американского удара.

Американцы, кстати, отдавая Путину должное за предложение о сирийском химическом оружии, в то же время не забывают подчеркнуть, что Асад никогда бы на такое не пошел, если бы не опасность удара со стороны США. Иными словами, американская угроза и путинское предложение сработали одновременно — один из этих факторов вряд ли оказался бы эффективным, — и таким образом был показан хороший пример сотрудничества. Как бы там ни было, в тот момент авторитет Путина и интерес к его взглядам были очень высоки, что привлекло еще больше внимания к форуму.

Третий момент – сам формат Валдайского форума, который подразумевал широкие дискуссии с первыми лицами Российской Федерации, включая Сергея Иванова и Сергея Шойгу. Блестящую речь произнес Сергей Лавров, один из самых (если не самый!) уважаемых и эффективных в современном мире дипломатов и международных политиков. Очень хорошо и неожиданно для многих выступил Вячеслав Володин, который сменил Владислава Суркова на посту главы Управления внутренней политики Администрации президента РФ и считается теперь новым «серым кардиналом» Кремля.

Володин несколько часов общался с гостями форума и произвел очень позитивное впечатление, изменив много стереотипов в отношении того, как Кремль устроен изнутри. По крайней мере, многие участники из США, Европы и азиатских стран говорили потом, что встреча с Володиным оказалась для них невероятно интересной – они не ожидали такой открытости, такого чувства юмора и такого знания глобальных трендов. Володин постоянно приводил какие-то примеры, при этом не перевирая фактов, было видно, что он владеет этой информацией.

Что понравилось многим после его выступления – четкое ощущение, что Кремль действительно нацелился на повышение конкурентности в российской политике, особенно на местах, и, в общем-то, препятствовать альтернативным кандидатам на выборах мэров городов и муниципальных образований никто не будет. Прозвучала даже такая мысль, что для Кремля и партии власти проигрыш одной битвы не означает проигрыша по всей стране — пусть кто-то где-то выигрывает, но в принципе всем пойдет только на пользу, если качество власти в целом улучшится.

Не исключено, правда, что репутация оппозиционных деятелей, наоборот, упадет, если им не удастся ничего существенно изменить, — что ж, тогда они почувствуют тяжесть власти и, может быть, начнут более реалистично относиться к положению дел в стране. Так или иначе, было очень интересно послушать и поспорить. Замечательно выступил и глава администрации президента Сергей Иванов. Сергей Собянин произвел неплохое впечатление, показав себя не просто менеджером, градоначальником, но и политиком. Он говорил довольно серьезные вещи. В целом сложилось впечатление, что Путин — как шутили участники форума, «у себя на разогреве» — показал мощную команду.

Действительно, Валдайский форум 2013 года с интеллектуальной, смысловой, политической точки зрения был одним из самых сильных. Четвертым фактором, вызвавшим особый интерес к этому заседанию, стала тема дискуссии — национальная идея. Сложилось впечатление, что для Путина национальная идея, ценности, система ориентации, мировоззрение граждан страны в целом являются, может быть, самым важным в третьем его сроке. Иными словами, он поставил перед собой задачу позиционирования России как страны с идеей, взглядами, мировоззрением.

Как бы там ни было, дискуссия протекала очень живо, один из авторов книги принимал в ней активное участие и выступал со своими взглядами. Сама тема, в отличие от всего, что обсуждалось раньше – внешняя политика, экономика, прочие, по сути, технические вопросы, – задала крайне заинтересованный тон обсуждению. Действительно, национальная идея, система ценностей – это базовое понятие, из которого должно вытекать все остальное. Здесь можно отметить участие Александра Проханова, который выступал оппонентом Алексея Кудрина, – их публичная дискуссия была очень интересной.

Наконец, пятой особенностью этого форума стало то, что на конечном заседании Путин был не один на главной сцене. С ним рядом сидело еще несколько ведущих европейских политиков. Они говорили, Путин откликался, они реагировали на слова Путина, задавали ему вопросы, Путин в свою очередь задавал вопросы им – то есть в этом смысле Владимир Владимирович сам сыграл роль члена Валдайского клуба, который задает вопросы другим приглашенным.

Участники дискуссии разместились в небольшом зале. Впервые за 10 лет существования форума в этом же зале присутствовали и русские члены клуба – обычно на встречу с президентом их почему-то не приглашали. Были там и оппозиционеры. Каждый из них получил возможность задать вопрос Путину, все это транслировалось в прямом эфире. Путин отвечал, даже вступал в полемику. Ситуация и впрямь далекая от привычного российского формата, почти революционная: лидеры оппозиции, когда-то выступавшие на Болотной и критикующие Путина на каждом углу, выступают в прямом эфире, получая возможность услышать ответы на свои вопросы.

Надо сказать, что Путин говорил с ними очень мягко и дружелюбно. Он очень забавно сбивал запал оппозиционеров, обращаясь к ним по имени: «Володя, что ты хочешь сказать, давай обсудим... Ксюша, я слушаю...» Надо сказать, Путин их этим просто очаровал. Владимир Рыжков (это было видно) буквально растаял – это и понятно: он, известный в России политик, бывший первый вице-спикер Думы, двенадцать лет не общался с президентом, его все это время не пускали на экраны, всячески препятствовали деятельности его партии. А тут – «Володя»...

То есть фактически президент не оставил оппозиционерам возможности говорить колкости в его адрес. В самом деле, после того как тебя назовут Володей или Ксюшей, как-то уже не особенно хочется «наезжать» на «кровавый режим». И это четко проявилось в ходе дискуссии: представители оппозиции задавали конкретные вопросы по «делу 6 мая», говорили о возможности амнистии.

Хорошо проявил себя на Валдайском форуме молодой писатель Сергей Шаргунов, который тоже поднял этот вопрос. Он, кстати, потом подошел к Путину и, буквально взяв его за пуговицу пиджака, требовал ответа касательно возможности амнистии осужденным по «Болотному делу». Наблюдать за всем этим было очень интересно.

Это был, пожалуй, лучший с точки зрения драмы Валдайский форум за все 10 лет его существования, своего рода бенефис Путина. Но самой главной и неожиданной особенностью мероприятия стала речь, с которой выступил президент. Пересказывать ее нет смысла – она была в прямом эфире и транслировалась на множестве сайтов, в отличие от всех предыдущих форумов, где Путин не делал формального большого выступления, а лишь участвовал в диалоге, и его вопросы и ответы не передавались в эфир. Здесь же все показали по телевизору, поэтому желающие могут посмотреть речь президента в записи.

Ограничимся кратким резюме: вся речь Путина была посвящена тому, что Россия дошла до точки, когда обществу для выживания необходима система координат – идейных, моральных, нравственных, идеологических. И он начал их формулировать. Можно с ним соглашаться или нет, однако вся тематика, поднятая им, являлась тематикой ценностей и приоритетов — идеологических и морально-этических — и сама по себе была очень новой.

Было похоже, что Путин выступал на Валдае с агрессивной, защитно-нападающей позиции. Свою речь он читал по бумажке и, по всей видимости, был при этом в не самом, мягко говоря, хорошем настроении. Прочитав речь, президент сел и начал отвечать на вопросы, которые ему задавали, в том числе по поводу его статьи в *New York Times*. Потихоньку он все более входил в раж — как мы неоднократно убеждались, Путин очень любит дискуссии и вызов.

Распространенное мнение, что Путину не нравится, когда ему в лоб задают тяжелые вопросы, на наш взгляд, чистейший миф. Авторы этой книги за много лет посетили огромное количество встреч с Путиным, не только на Валдайском форуме, и всегда делали вывод, что ему как раз нравятся вопросы, требующие в своем роде агрессивного ответа, защиты собственной позиции, и при этом совершенно неинтересно отвечать на вопросы, которые требуют простого разъяснения. Путин уже устал растолковывать свою позицию, для него это скучно.

Заметим, что у Путина есть несколько принципиальных особенностей, отличающих его от любого другого политика из тех, которые сейчас видны на российском олимпе. Он, пожалуй, единственный, кто умеет слушать. Когда ты с ним общаешься, он реально тебя слушает и слышит. Будь у тебя хоть 10 секунд – но это 10 секунд, которые абсолютно твои. Полное ощущение, что в комнате больше никого нет, кроме вас двоих. Оба автора книги много раз имели возможность испытать это удивительное ощущение.

Кроме того, Путин хорошо держит удар. В последнее время российская политика превратилась в своего рода поле для ругани – в ходу разные обзывалки, иной раз почти детские по форме. Очень показательными в этом смысле были митинги на Болотной площади. Путин отреагировал на это очень спокойно и с юмором: «Ну что, – сказал он, – они что-то кричали, обзывали меня... Да я вырос в ленинградском дворе. Я, если надо, могу так сказать, что у них уши в трубочку свернутся. Но это же несерьезно. Если у них есть что сказать конструктивное по делу, я буду вести диалог с каждым. А ругаться да орать ума не надо».

Вообще, при всей внешней открытости Путина не назовешь откровенным человеком. Он говорит продуманно, афористично, с удовольствием, он хороший оратор с собственной манерой разговаривать. Но при этом постоянно чувствуется желание не проговориться. Не сказать лишнего. То есть интервью Путина – это скорее остроумная игра в пинг-понг, вопрос-ответ, нежели действительно откровенность. Еще ни одному интервьюеру ни разу не удалось пробиться сквозь систему защиты Путина и вытащить какие-то сущностные вещи. Путин показал себя мастером словесных манипуляций, очень красивых и притягивающих.

Один из авторов книги единственный раз сумел «подловить» Путина, когда за три года до выборов спросил, будет ли он конкурировать с Медведевым. Путин тогда ответил: «Мы сядем и договоримся». Впоследствии приближенные к Путину люди рассказывали, что он был очень недоволен и зол на самого себя — фраза явно была неудачная. Впрочем, это был совершенно другой формат беседы — а интервьюеры Путина действительно ни разу не «пробили».

Во время дискуссии на Валдае на вопрос одного из соавторов этой книги о том, удовлетворен ли он отношениями между обществом и властью в России, Путин сказал, что любое общество заслуживает лучшей власти, чем та, которая имеется в стране, и Россия, конечно, не является исключением. Здесь тоже есть проблемы в отношениях власти и общества. Правда, Путин не стал останавливаться на этой теме подробнее, а традиционно перевел разговор на США и Запад в целом.

Итак, президент завелся, можно даже сказать, раздухарился, поймал кураж, начал подшучивать над своими западноевропейскими партнерами, называя их своими хорошими друзьями, но тут же пытаясь подпустить какую-то шпильку. Это был действительно феерический вечер. В какой-то момент Путин, повернувшись к Франсуа Фейону, бывшему премьер-министру Франции, сказал, обращаясь к залу: «Ребята, спросите у моего французского коллеги о том же, о чем вы раньше всегда спрашивали меня, — он будет баллотироваться в президенты Франции?»

Для Фейона это было страшно неожиданно — вот так быть застигнутым врасплох в России, когда нужно отвечать на вопрос, заданный российским президентом. Ситуация совершенно не соответствовала европейской культуре — на такие вопросы полагается отвечать у себя дома, во Франции, своей аудитории, своим журналистам, а не Путину в присутствии огромного числа слушателей из разных стран и под прицелом камер российского телевидения. Так что Фейон задергался, смешался и лучшее, что он смог найти, было: «Владимир, а ты сам-то будешь еще баллотироваться?» Ему напомнили, что буквально несколько минут назад как раз Николай Злобин задавал такой вопрос Путину, и ответ был: «Не исключаю». Тогда француз тоже сказал: «Не исключаю». Все это выглядело очень забавно.

Не удержался Путин и от нескольких комментариев не то чтобы на грани пошлости, но, в общем, на грани фола, когда говорил о различных сексуальных новшествах и изменениях в сфере морали и нравственности в Западной Европе. В частности, пошутил, что Берлускони преследуют за то, что он спит с девушками, а если бы он спал с юношами, его бы, наверное, приветствовали — это же сейчас в рамках западной культуры, чуть ли не позитивный тренд.

Если внимательно проанализировать его речь, можно проследить несколько очень четко проведенных основных линий. Путин говорил о традиционных ценностях, которые Россия будет отстаивать; о том, что нам нужен единый взгляд на историю и при всем возможном разнообразии оценок должна быть одна базовая концепция; о том, что интерпретация истории должна помогать стране жить, а не умирать в бесконечных самокопаниях и раскаяниях; о том, что русский или любой другой национализм неприемлем, и каким бы соблазнительным он ни казался, это не наш путь; о традиционной семье и традиционных ценностях; об уважении к личности и т.д. И в том, как он излагал свои соображения на эти темы, присутствовала заметная доля агрессивности — Путин выступил очень жестко.

Трудно сказать, насколько ему пришлось преодолевать самого себя, выступая с этих позиций. Действительно ли это соответствует его собственным взглядам, или он таким образом реагирует на запрос общества на политическую линию в области идеологии. Как бы там ни было, выступление Путину удалось. Закончив свою речь, он, казалось, сразу как-то расслабился. Потом он очень здорово отвечал на вопросы, особенно на те, которые задавали его европейские друзья. Видно было, что дискуссия ему нравится, что он поймал драйв.

Вообще, за десять лет существования «Валдайского форума» мы еще никогда не видели Путина таким: молодым, уверенным в себе, полным энтузиазма, ощущающим себя хозяином положения и получающим явное удовольствие от встречи.

Интересно, что во время событий на Болотной площади многие эксперты предрекали Путину закат карьеры. Но как после московских выборов стало очевидно, что обанкротилась прикладная социология, которая не смогла даже близко предсказать результаты Сергея Собянина и Алексея Навального, так и в случае с Путиным обанкротилась прикладная политология. Причем и российская, и зарубежная.

Надо признать, что большинство западных «советологов» и прочих «специалистов по Путину» не смогли адекватно оценить его перспективы. Некоторые действительно писали, что Путин – едва ли не «политический труп». Но на заседании Валдайского клуба стало очевидно, что у Путина по-прежнему большой потенциал – и личный, и командный.

В целом создалось ощущение, что именно речь на Валдайском форуме в октябре 2013 года во многом стала для Путина программной – в гораздо большей степени, чем его предвыборные статьи, после выхода которых он ничего программного, собственно, и не говорил. Да, было заседание Госсовета, была прямая линия с народом перед выборами, была пара интервью, но не было программной речи в области идеологии. А теперь появилось впечатление, будто Кремль определился с тем, какие идеологические реперные точки он намеревается выставить.

После выступления Путина и последовавшей за ним долгой дискуссии всех пригласили на небольшой фуршет. Путин с бокалом шампанского медленно перемещался по залу, к нему подходили, чокались. Бывший премьер-министр Индии задал какой-то вопрос, они с Путиным долго говорили, потом пошли к выходу. Было видно, что Путин страшно устал от этой беседы. Он подошел к Николаю Злобину, стоявшему около выхода, и сказал: «Николай вам сейчас все объяснит. Мы все вышли из Советского Союза. Он вам сейчас объяснит, что это такое. Объясните, Николай?» Злобин ответил: «Постараюсь».

На прощание Путин повторил: «Все мы из Советского Союза. Что мы тут обсуждаем? Все равно основа наша там, в том или ином виде. Воспитание; то, как мы смотрим на мир; то, как мы оцениваем какие-то морально-этические проблемы, — мы вышли оттуда, и, наверное, пока мы есть, мы так и будем оценивать, себя не переборешь, так ведь, Николай?» И после всех идеологических реперных точек, которые он расставлял в своей речи и в ответах на вопросы, эти слова показались очень символичными.

Валдайский клуб 2013 года сыграл ключевую роль в определении и объявлении поворота в российском подходе к идеологии, к формированию некоей доктрины политического и экономического развития. Речь Путина, его ответы, его настрой создавали впечатление, что он не просто хочет стать лидером, отстаивающим традиционные ценности, – для него наверняка важно, чтобы Россия в глазах всего мира стала страной, которая придерживается традиционных консервативных ценностей и не поддается новым западноевропейским стандартам – в частности, в областях, касающихся личных отношений, сексуальности, патриотизма. Страной, где не размываются представления о том, что допустимо для человека, верящего в Бога, а что нет. Страной, где неприемлема формула «если Бога нет, то все позволено».

Похоже, речь Путина сыграла принципиальную роль в его собственном формировании образа России – какой он хочет видеть ее в будущем и куда он ее поведет. И это должна быть Россия традиционных ценностей.

ПУТИН – ПРЕЗИДЕНТ ЦЕННОСТЕЙ

Мы знаем, кто вы, мистер Путин!

Что интересно – когда в 2000 году Путин пришел к власти, запроса на него не было никакого. В самом деле, он не вызрел внутри какой-либо партийной структуры, не рос в публичной политике, а тихо двигался по линии исполнительной власти. И то, что он оказался представлен на высочайшую государственную должность, фактически минуя публичную политическую и общественную жизнь, то, что на президентском кресле появился никому не известный человек с никому не известной системой взглядов – исключительно российский феномен. Строго говоря, с таким бэкграундом ни в одной стране мира невозможно прийти к власти.

Тот же Борис Ельцин долгое время рос внутри структуры КПСС, двигался вперед, занимал различные посты, был известен. Иными словами, был некий публичный процесс. В случае же с Путиным никакого процесса даже близко не было. Просто Ельцину показалось особо импонирующим то, что Путин все время отказывался от власти, не хотел ее. (Кстати, эту модель Путин потом перенял по отношению к своему окружению.)

Один из авторов книги как-то раз спросил Путина, считает ли он себя политиком. Владимир Владимирович ответил: «Я не политик, Николай, — я никогда не строил личной политической карьеры, я никому ничего не должен», — имея в виду, в частности, что за ним не стоит какая-либо партия. «Поэтому, — продолжил Путин, — я могу принимать решения, исходя не из своих личных политических и карьерных амбиций, а из понимания того, насколько это решение полезно для всей страны». Вспомним, что Путина выдвинул непопулярный президент, уходящий в отставку, что было скорее минусом. Он не был ставленником олигархов, хотя, конечно, его кандидатура с ними согласовывалась и олигархи не были против. Дело в том, что в то время были другие страшные для олигархов персонажи — в первую очередь бывший премьер-министр Евгений Примаков. Возможность его прихода к власти серьезно нервировала и пугала олигархов, поскольку Евгений Максимович неоднократно заявлял о своей резко антиолигархической позиции.

Так вот, Путин в 2000 году был компромиссной фигурой. И, в принципе, он такой был не один — если вспомнить, у нас тогда на слуху была целая вереница преемников, среди которых побывал и Борис Немцов, и министр путей сообщения Николай Аксененко, и Сергей Степашин, который, казалось, уже без двух минут президент. Но в итоге выбрали Путина как кандидата, устраивающего все элиты. И это принципиально важный для всей российской политики момент.

Россия – страна сугубо византийская. В странах такого типа руководитель государства выдвигается изнутри элиты, и оценивает его успешность именно элита. Но, с другой стороны, элита приходит и уходит, и от силы руководителя зависит очень многое. Петр I разогнал всю элиту, но остался в истории великим правителем. Так же поступали и Иван Грозный, и Екатерина II, и Сталин.

Став президентом, Путин оказался вброшен в окружение «семьи», олигархов, которые привыкли считать власть своей собственностью, в нефункционирующую политическую систему. И вдруг он совершает резкий поворот. Без запроса на себя. Без идеологии. Без массовой поддержки – в 2000 году ни о какой популярности Путина и речи не шло, приход чекиста к власти тогда еще вызывал сильное отторжение. Без голливудской внешности. Без броской манеры поведения – Путин совершенно не пафосный человек, его трудно представить, например, стоящим на бронетранспортере, как Ельцина. Зато он более чем адекватно и органично выглядел в танке, самолете, подводной лодке.

В первые два года Путин явно чувствовал свою уязвимость – и именно тогда начал основные свои реформы. И к концу своего первого президентского срока он стал лидером — не за счет пиара в СМИ, а благодаря конкретным делам, — и даже уйдя с поста президента, лидером быть не перестал ни для элиты, ни для народа.

Позволим себе смелое предположение. Могло ли быть так, что Борис Ельцин, выдвигая Путина на роль своего преемника, уловил пока еще неясно витающий в воздухе запрос на определенный тип лидера? На самом деле, не исключено. Ельцин ведь был гораздо тоньше и чувствительнее, чем сейчас принято о нем думать, в нем мощно проявлялись все качества «политического животного», особенно в начале президентского срока, и его интуитивность временами просто поражала.

Сила и слабость Путина в том, что он чувствует на стороне народа и предлагает народу повестку. Он, как мы уже говорили, стопроцентное «политическое животное», которое интуитивно, буквально кожей чувствует, что и как сказать или сделать, как себя повести в той или иной ситуации. Он очень здорово подлаживается под аудиторию, под повседневные запросы. Он гениальный тактик.

Путин как-то очень хорошо чувствует и регулярно предлагает такие проекты, которые оправдывают ожидания людей. В этом смысле он оказывается локомотивом, всегда тянет вперед. И при этом сильно рискует. Та же Олимпиада — это же был бешеный риск, смелая инициатива, где цена ошибки крайне высока. Если бы олимпийский проект провалился – а это был на сто процентов путинский проект, – то мало бы не показалось никому, потому что уровень разочарования в обществе был бы колоссальным.

Но у Путина есть еще одно качество, очень много решающее в жизни политика. Он везунчик. Хотя нельзя забывать о том, что везение всегда имеет временные ограничения. Удача и уважение к Путину как лидеру могут обернуться тем, что при первой же серьезной неудаче его размажут по асфальту. Российская история полна таких примеров. Вообще, российская история – это история свергнутых кумиров.

Наверное, потому и проблема с историческими героями у нас стоит так остро, что нет ни одного, которого бы не свергали (причем позже его могут снова поставить на пьедестал, а по прошествии времени свергнуть опять). Поэтому любая политическая ошибка будет чревата для Путина таким свержением. Вероятно, это неизбежно случится, когда бы он ни ушел из власти.

Причина такого положения дел кроется в психологии русского народа. Мы не помним, что было вчера. Поэтому, например, отсылки к тяжелым 1990-м годам уже бессмысленны. Что там происходило в 1990-х – уже никто не помнит, кроме тех, кого это коснулось лично. Никто не помнит, что такое чеченские кампании. Никто не помнит невыплаченных зарплат, стучащих касками шахтеров, расстрела Белого дома в 1993 году. Все это осталось в багаже старшего поколения.

Молодым кажется, что жизнь всегда была прекрасна, всегда все было изумительно, так чего мы топчемся на месте? Они мыслят исключительно в терминах позолоты и устраивают борьбу по совершенно декоративным поводам – внезапно самой большой проблемой оказывается «неправильный» перевод часов, а в другой раз главной новостью в стране на три дня становится запрет на ввоз кружевных синтетических трусов. А ведь еще не так давно все это показалось бы абсолютной глупостью.

Отсутствие преемственности в российской истории тесно связано с полным отсутствием преемственности власти. Практически всегда, за очень редким исключением, пришедший на это же место человек начинал более или менее непримиримую борьбу со своим предшественником – борьбу политическую, идеологическую, моральную, культурную. Легитимизация власти в России часто проходит через дискредитацию предшественника. И первым, кто нарушил эту традицию за долгое время, оказался опять же Путин. Он никогда публично не критиковал Ельцина. При этом воздал Ельцину почести, которые на протяжении практически последней сотни лет не воздавались ни одному ушедшему лидеру, тем более после смерти: абсолютное уважение, памятник, библиотека, отпевание в главном храме страны.

Скажем так: отношение Ельцина к Горбачеву и Путина к Ельцину принципиально различаются. Налицо была попытка со стороны Путина вернуться к определенным культурным традициям, прервавшимся в советский период. Снова обратимся к истории русских царей: что бы ни случалось, как бы ни уходил из жизни предшественник, пусть даже в результате «апоплексического удара» табакеркой в висок, как злосчастный Павел I, и какие бы перемены ни собирался осуществить его преемник — все равно были красивые похороны, а народу объявляли о смерти императора по естественным причинам, то есть внешние приличия всегда соблюдались.

Однако проблема Путина даже не в том, что будет, когда он уйдет из власти, а в том, что его попытка отойти от власти показала слабость построенной им модели. Чтобы отойти от власти, надо передать ее человеку, который, по большому счету, либо продолжает уже имеющуюся тенденцию, либо предлагает совершенно иную альтернативу, но столь же яркую и притягательную для людей. Идти по путинскому следу при живом Путине бессмысленно — это не вариант верного ученика Ленина, отца народов товарища Сталина. Кроме того, когда в публичной политике есть настолько яркий деятель, по российской традиции получается, что, куда его ни поставь, он все равно из любого угла светит. Назвали его не президентом, а премьером — а все по-прежнему путаются, кто первый, а кто второй.

Один из авторов книги однажды сказал, что на самом деле видит в России единственный политический институт – он называется «Владимир Владимирович Путин». Произошло это в бытность Путина премьер-министром, президентом тогда был Дмитрий Медведев. Разговор состоялся в сочинской резиденции Путина. На вопрос, нравится ли ему быть премьер-министром и сколько он планирует оставаться на этом посту, Путин ответил: «Сколько Бог даст».

Ответ совершенно невинный, но при этом очень показательный – да, сколько Бог даст, и никакие институты этому помешать или помочь не могут. Действительно, есть Дума, Совет Федерации, министерства, – а есть Путин. Это тоже наша реальность. Другой вопрос, сохранится ли путинская система государственного управления после его полного ухода из политики или ухода из жизни. Тут есть над чем серьезно задуматься.

Ручное управление

Как мы уже отметили, вечная проблема России в том, что в ней слишком много Россий. Ощущение, что государство здесь объединяет фактически несколько стран, бывает настолько сильным, что невозможно от него отмахнуться.

Есть Россия Москвы – здесь большие деньги, большие интересы, много нелегалов, люди живут скученно, стоимость жилья очень высока, запросы тоже высоки, и все стремятся сюда попасть. Есть огромная провинциальная Россия, которая никогда, ни в царские, ни в советские, ни в демократические времена, не жила и не будет жить хотя бы приблизительно так же, как Москва, а уж тем более лучше Москвы. Есть Россия малых городов – в них живет множество людей, но они не играли и не играют никакой политической роли, не имеют экономической власти и никогда не воспринимали себя как нечто равное Москве (или Питеру) и способное бросить вызов столице.

Националистические конфликты или выступления на экономической почве, имевшие место в разных городах, не приобретали общегосударственного характера, в то время как практически любое телодвижение Москвы эхом разносится по всей стране с пугающей скоростью. Все революции и реформы в России начинались в столицах.

Для примера, Соединенные Штаты Америки устроены совсем по-другому. В Вашингтоне много чего происходит, что не оказывает при этом на остальную страну никакого влияния. Есть огромные центры силы – Сан-Франциско, Чикаго, Нью-Йорк, Даллас, – где на самом деле собрано гораздо больше экономической и даже политической власти, чем в Вашингтоне.

В России, как видим, ситуация принципиально отличается: политика здесь – это Москва. Мэр Москвы – это по сути вице-премьер страны. От того, как устроена Москва, насколько безопасно чувствуют себя москвичи, зависит ощущение безопасности у всей страны. Даже война в Чечне не играла для Москвы особой роли, до тех пор пока чеченцы не начали появляться здесь и не привезли сюда свои золотые пистолеты.

Для российской власти удержать Москву – задача номер один. Дело в том, что и Сибирь, и Дальний Восток вряд ли смогут реально отделиться по экономическим причинам – им просто некуда деваться, они такие же русские и все равно вынуждены будут цепляться за Москву. Все, что в России происходило после выборов Путина в 2012 году, было связано с тем, что москвичи наконец в большом количестве вышли на улицы, чего не было с ельцинских времен. И этого сыграло огромную роль в понимании того, как стала развиваться Россия в третий президентский срок Путина.

Таким образом, одна из ключевых характеристик российской системы – абсолютное доминирование столицы, во всех смыслах этого слова. В первую очередь в политическом. Стабильность в России означает стабильность в Москве. Нестабильность в Москве означает нестабильность в России. Как только мэр Москвы Лужков, который был фантастически лояльным, начал терять доверие, его пришлось убрать. И большой проблемой для власти стало найти человека, который не был бы включен в московские разборки, не имел бы здесь больших интересов, не мог стать ни на чью сторону, а только был бы благодарен лично Путину за возможность занять этот пост.

Такого человека нашли в Тюмени. Отчасти эта логика напоминает логику назначения Ахмата Кадырова на пост главы администрации Чеченской Республики и его победы на выборах президента Чечни, где шла война и нужно было ручное управление. Сергей Собянин тоже не связан никакими обязательствами, он не баллотировался ни от «Единой России», ни от других политических партий. Он обязан только президенту, отчитывается только перед ним, и все остальное для него носит вторичный характер — в том числе выборы в Мосгордуму. Дума будет заниматься внутренними городскими вопросами, а на федеральном уровне Москву будет олицетворять стабильный лидер.

Итак, у нас есть президент, есть мэр Москвы, есть премьер-министр, который тоже на сто процентов обязан нахождением на своем посту лично Путину. Судя по настроениям общества, Дмитрию Медведеву вроде бы давно следовало отправиться в отставку, и он занимает свое место только потому, что нужен президенту. Это еще одна особенность российской политической системы — лидеру нужны разные институты в разное время. Он может использовать их поочередно, как педали и переключатели в автомобиле, но ему нужен лояльный премьер-министр, которому он может полностью доверять. Медведев — именно такой человек, но без Путина он не продержался бы на своем посту и дня.

То же самое с остальными институтами. Если опираться на общественное мнение и спросить, нужны ли народу Дума или Совет Федерации с имеющимися там депутатами, народ ответит: «Конечно, не нужны – это пустая трата денег, машин с мигалками и квартир в центре Москвы, скандалы с зарубежной собственностью и очень, мягко говоря, странная законодательная деятельность». Поэтому, кстати, связь между действиями лидера и запросами общества не так уж однозначна. Нет в России общественного запроса ни на депутатов, ни на сенаторов, ни на многие другие политические фигуры, особенно в регионах. Но они нужны лидеру, для разных функций и в разной степени, а раз так – они существуют.

Таким образом, мы снова возвращаемся к мысли, что дело не в системе. Система существует только в той части, которая нужна лидеру, и лишь тогда, когда она ему нужна. В этом смысле в России нет системы управления и системы власти. Мы знаем, что любая система сильна в той мере, в какой сильна ее самая слабая часть. Но в России вопрос сильных и слабых частей даже не стоит. Он звучит по-другому: мы сегодня нужны или нет. Если не нужны, мы пригнулись и выжидаем; если нужны – мы на коне.

Совет Федерации, имеющий репутацию братской могилы политиков, роль которых никому не известна и не ясна, существовал последние годы в фактическом забвении, но в ситуации с украинским кризисом неожиданно проявился и сыграл свою партию. Периодически по мере надобности возникают другие институты, которые затем тихо уходят в тень.

Принято говорить, что Путин отчасти игнорировал украинские события, потому что много времени занимался Олимпиадой. Но нигде в мире Олимпиада не является делом президента страны. Это же не сталинская система, где вождь лично разбирается с тем, нужно ли переносить храм Василия Блаженного и где строить Университет. Тем не менее Путин действительно массу внимания уделял Олимпиаде, это был, как мы уже отметили, фактически его личный проект, и тогда получается, что ему нужно было выбирать между Олимпиадой и Украиной. По общепринятой логике государственного развития это ненормально – мы геополитически проиграли Украину, потому что лидер был занят Олимпиадой. Что мы выиграли этой Олимпиадой – другой вопрос, но Украина тем не менее проиграна.

Тут мы подходим к еще одной проблеме: личные симпатии и антипатии, вкусовые предпочтения президента начинают играть роль при выборе приоритетов в политике. Не сложились отношения с Саакашвили – Грузия становится врагом России. Была на каком-то этапе дружба с Бушем – начали развивать взаимодействие с Америкой. Не сложились отношения с Обамой — американское сотрудничество стали сворачивать. То есть все настолько плотно завязано на личные ощущения, что даже для такого очень неглупого политика, каким является Путин, неизбежны ошибки, просчеты и неправильная расстановка акцентов.

Одного из авторов книги всегда поражала простота оценок Путина в разговорах о том, как устроены США. Его представления на этот счет выглядели совершенно советскими, поначалу даже не верилось, что президент так рассуждает. С другой стороны — откуда ему, в принципе, знать больше? Ведь, скорее всего, эта система взглядов сложилась еще в детстве и в юности, и с тех пор практически не претерпела изменений.

Путин хорошо знает и понимает Европу, но из этого не следует, что он автоматически так же хорошо разбирается в американских реалиях. Соответственно, в отношениях с Америкой нужно в идеале опираться на кого-то другого, но когда задаешь вопрос, кто является советником Путина по Америке, все показывают на его кабинет. Спрашиваешь, кто его советник по Украине, — все опять показывают на ту же дверь: «Он сам».

Это лидерская система со всеми ее плюсами и минусами. Президент берет на себя всю ответственность, но при этом, согласно Конституции, власть в России устроена так, что он лично ни за что не отвечает. И в этом отношении система неуязвима. Оппозиция постоянно бьет мимо. Какое дело ни возьми – Путин неизменно оказывается в роли Деда Мороза, который пришел, раздал подарки и уехал. Все остальное – не его забота. Подарок плохо работает? Он сломался? Это вообще не тот подарок? Ну извините, ждите следующего Нового года, когда Дед Мороз на вас обратит внимание.

Для России всегда было характерно дискретное развитие – периоды глухой стагнации сменялись попытками наверстать, догнать убежавший вперед мир через реформы. И реформы были тяжелыми, потому что они, как правило, проводились не вовремя, с большим опозданием, и не принимали в расчет необходимость проявлять мягкость к собственному народу – народ всегда ломали через колено. Нередко реформы оказывались успешными – как коллективизация, индустриализация, послевоенное восстановление экономики СССР или сегодняшнее восстановление после краха Советского Союза, – но затем наступал очередной период расслабления.

Не случайно многие до недавнего времени считали, что Путин впал в брежневизм и вместо долгожданной стабильности мы получили стагнацию – потому что стабильность подразумевает стабильное развитие, а не стабильный застой. Однако сейчас, похоже, все снова сдвинулось с места, государство пришло в движение, в России опять появилась политика.

Следует подчеркнуть важную вещь: в России есть политика – и ее сейчас очень много, – но практически нет политиков. Это еще один интересный российский феномен. Политика в России зависит от тех сигналов, которые подает вождь, от его понимания ситуации, от его ощущения баланса возможности стагнации и необходимости реформ. Вероятно, в обозримом будущем нам так и не удастся избежать дискретности развития, где периоды успокоения и почивания на лаврах будут сменяться периодами бешеных догоняющих реформ. Ведь лидерство не обязательно подразумевает стратегический взгляд в будущее. Лидер — все-таки живой человек, это не институт, не символ, не флаг и не герб.

Как в таких условиях обеспечить развитие страны, как преодолеть чередование стагнации и форсированных реформ? В течение своего первого президентского срока Путин провел серьезнейшие реформы, о которых теперь почему-то мало кто вспоминает. А ведь было осуществлено даже объединение церквей, решившее колоссальную проблему. Начало реформы армии, налоговые реформы, изменение законодательства, касающегося собственности на землю, и многое другое — а уже после этого периода бурных перемен началась так называемая путинская стабильность (или стагнация). Второй президентский срок Путина кардинально отличался от первого.

Третий срок, о котором мы говорим сейчас, отличается от первых двух. Мы сегодня наблюдаем Путина 3.0. Как показало выступление Путина на Валдайском форуме 2013 года, он вернулся как президент ценностей. Не экономических реформ, не политической стабильности – эти проблемы он решал в первые 12 лет своего президентства. И в конце концов, похоже, пришел к мысли, что ни экономика, ни политика, ни внешние успехи страны не объединяют людей, и нельзя сохранить Россию, если россияне не разделяют общих ценностей.

Экономикой и политикой Путин, разумеется, будет заниматься и дальше, но с ними ясно, что делать. А вот с идеологией, с ценностями – полный бардак. Можно сказать, что Россия уже превратилась в страну с царем во главе, но она по-прежнему без царя в голове. Именно такую страну Путин принял в 2012 году и, по всей видимости, поставил перед собой задачу навести порядок в умах избирателей, сформировать этого «царя в голове» – разумеется, того «царя», который ему нужен.

Михаил Горбачев, который начал с перестройки и гласности, понимал, что перемены в стране невозможны, пока не изменится ментальность людей. И он успел сломать советский ментальный код, но на этом месте ничего не было создано на протяжении всех постсоветских лет.

Сейчас у людей сбиты все ориентиры, все представления. Пересмотр итогов Второй мировой войны, непонятная дискуссия о Сталине, в учебниках написано невесть что, непонятно о чем снимаются фильмы. Историю перестали уважать, институт семьи разваливается, западные ценности — нравятся они кому-то или нет — проникают сюда все агрессивнее. Страна в идеологической анархии, прямо вытекающей из конституционного запрета на государственную идеологию. Как бы парадоксально это ни звучало, но запрет идеологии тождественен ее навязыванию — навязыванию идеологии анархии.

Можно снова привести в пример США: там существует национальный консенсус по поводу основных вещей — скажем, американской истории. О ней спорят в деталях, и спорят довольно жестко, но есть общая традиция, которая неизменно соблюдается. То же самое касается семейных ценностей или уважительного отношения к религии. В России эта система распалась. Но в России, в отличие от Америки, систему ценностей и систему верований народа всегда определяла власть. И впервые в нашей истории в 1991 году власть от этой роли устранилась.

Сейчас все указывает на то, что Путин принял решение вернуть роль власти в этом вопросе. Это и разговоры на государственном уровне о едином учебнике истории, и финансирование исторических кинофильмов, и назначение историка Владимира Мединского министром культуры. Снова встал вопрос о патриотизме — он очень давно так не стоял. Встал вопрос о защите русских по всему миру — обычно Россия игнорировала такие вещи.

Встал вопрос о поиске национальной идеи, который в свое время заглох, а сейчас пошел опять.

Подход, несомненно, правильный – на общих ценностях строилась Российская империя, общие ценности лежали в основе Советского Союза. И Путин, пусть не очень ловко, не очень профессионально – в КГБ этому не учили, и он не вполне готов к такой роли, а общество тем более, – но тем не менее начал выстраивать систему общих ценностей. Не имея по разным причинам возможности создать свое, он вынужден строить от противного – взяв систему, от которой можно оттолкнуться.

Мессианство как политический фактор

Один из авторов этой книги однажды задал Путину прямой вопрос: зачем он вернулся на третий срок? Это же предназначение – президент в России всегда больше, чем президент. Должна быть некая сверхзадача. Владимир Владимирович ответил: «Знаете, когда начинаешь об этом говорить серьезно, это как-то неправильно. Надо просто работать». То есть он уходит от этого вопроса.

Говоря, что Путин пришел как президент ценностей, мы, конечно, опираемся только на наши соображения по этому поводу. По большому счету, это лишь ожидания – впрямую Путин ни разу о целостной системе ценностей не говорил. Нигде нет декларации ценностей Путина, нигде нет ни слова о его идеологических установках — за исключением единственной книги «Путин. Его идеология», которую когда-то давно написал Алексей Чадаев. В то же время трудно усомниться в том, что внутренняя система ценностей у Путина присутствовала постоянно. И есть ощущение, что в какой-то момент времени он ответил себе на вопрос: «Для чего? Я так высоко вознесся, получил высшую должность в стране, находясь прежде на несравнимых позициях. Ничто не предвещало. Для чего я здесь?»

По большому счету, любой человек, прошедший такой путь, который прошел Путин, становится мистиком — особенно если у него есть к этому склонность. Он начинает очень серьезно относиться к определенным вещам и событиям, видя в них проявление высшей воли. И есть основания полагать (подчеркнем, что все это тоже лишь соображения авторов, имеющие тем не менее полное право на существование), что с Путиным произошло то же самое.

Атеистам и сугубым прагматикам такая мысль покажется по меньшей мере странной — но это просто потому, что у них не было (да и не будет) возможности ощутить те колоссальные изменения, которые происходят в душе человека, когда он занимает кремлевский трон. Ведь если подумать, людей, которые оказывались на этом месте, было не так-то много — и полусотни не наберется. Хоть на три дня в это кресло сел — и ты навсегда в истории. Ты попадаешь в один ряд с Иваном Грозным, Петром Великим, Екатериной Великой, Лениным, Сталиным, Горбачевым, Ельциным... Имена-то какие!

Неизбежно возникает вопрос: «Зачем?» Ответ может быть, как у Виктора Януковича на Украине: чтобы обогащаться. Проще говоря – грабить страну. Путин со всей очевидностью ответил иначе. Поэтому в его первый срок были Чеченская война и олигархи. Во второй срок он уже сделал попытку выстроить какую-то экономическую модель: как раз в то время появилась «Стратегия 2020» и много говорилось об удвоении ВВП.

Разумеется, эта работа даже близко не закончена, к тому же действующая экономическая доктрина сильно изменилась после кризиса 2008 года. Однако дело совсем в другом. Путин, похоже, вернулся из-за глубокого недовольства тем, что и как происходит в стране, вернулся, потому что осознал: больше некому. И это самое печальное. Факт возвращения Путина означает, что некому передоверить управление страной.

Комбинация с Медведевым себя не оправдала. К слову, хотя Дмитрия Анатольевича принято считать либеральным политиком, ориентированным на Запад и западные ценности, он, на наш взгляд, даже меньший либерал, чем Путин. Например, когда начался скандал с «Эхом Москвы», вызванный их весьма однозначным освещением войны в Грузии, желанием высшей власти было закрыть радиостанцию к чертовой матери. И именно Путин это остановил. А на заседании после теракта в «Домодедово» Медведев говорил такие вещи — сразу находя виновных, — которые идеально противоречили представлению о демократии, инвестициях и политике западного типа.

История с «Домодедово» показала, что у Дмитрия Медведева вообще были несколько сбиты представления о правовом государстве и роли президента в разборе такого рода инцидентов. И поступки, которые он тогда совершал, были в той ситуации неэффективны и нелогичны. Конечно, во время президентского срока Медведева началась либерализация уголовного кодекса — декриминализация экономических и налоговых преступлений. Но беда в том, что ничего не было закончено. Вероятно, для Путина все это послужило определенным сигналом — если человек не доводит дело до конца, зачем ему идти на второй срок?

Когда ты понимаешь, что тебе некому доверить страну, это начинает работать на усиление твоего ощущения собственной избранности. Отсюда у тебя самого и у всех вокруг возникают мысли о предназначении. Ты начинаешь думать — а в чем оно? И ждать вызова от Бога. И, что характерно, такие вызовы поступают, притом именно они выстраивают политику Путина. Не он сам диктует повестку — он реагирует на изменения действительности.

Не случайно зашла речь о едином учебнике истории – это была реакция на дикий «наезд» со стороны бывших советских республик, например, прибалтийских стран или Украины. Все это тянется с 1991 года, в Прибалтике регулярно проходили парады эсэсовцев, но не вызывали такого отклика. Сейчас ситуация заметно обострилась и выяснилось, что огромное количество людей у нас в стране просто не понимает проблемы.

На защиту традиционных ценностей Путин встал, по большому счету, вынужденно, помимо своей воли. Потому что западная культура вдруг пришла в Россию и попыталась стать здесь политической силой. Путин никогда бы не стал говорить о геях, если бы вдруг с такой силой не поднялась тема гей-парадов и «Пусси Райот». То есть опять же это была навязанная повестка, на которую он вынужден был отвечать. В политике так часто бывает: ты отвечаешь, потому что тебя припирают к стенке, а не потому, что ты выстроил свою систему ценностей.

Заметим, Путин никогда не делает больше того, что должен сделать, в публичном плане. Подход с виду очень странный, но прагматичный. Владимир Путин, как и все питерские, не любит делать объявления. У них у всех психология декабристов: мы сейчас сделаем, а потом вам все объясним. Он не выходит к народу посоветоваться. Если он может сказать от А до Я, он скажет от А до Я и не скажет лишнего. Но когда его заставляют о чем-то говорить, приходится говорить.

Путин бы слова не сказал о системе международных отношений, если бы его не приперли к стенке с вопросом «господин президент, вам надо объяснить свою позицию по Сирии». Он согласился и написал статью в *New York Times*, которая вызвала столь бурную реакцию в Америке. Дальше начались события на Украине, и Путин снова вынужден был формировать повестку дня по отношению к соотечественникам, поднимать лозунг «русские своих не сдают».

Надо сказать, впервые фраза «русские своих на войне не бросают» прозвучала в фильме «Брат-2» – и там же была продублирована очень схожей фразой, но уже в комическом контексте. «Мы, русские, своих не обманываем», – заявляет еврей, торговец подержанными автомобилями в Нью-Йорке, и продает герою машину, которая разваливается через несколько километров. Да и события недавнего времени несколько сбивают пафос – собственно, все 1990-е годы Россия только тем и занималась, что сдавала своих всюду, подчистую. Но то, что сейчас эта риторика появилась, означает, что президента поставили перед выбором.

Путин достаточно долго шел к осознанию того, что он унаследовал страну в парадигме распада. И вернулся он на третий срок только из-за понимания, что эта парадигма начинает воплощаться в реальность. Существование ее во многом связано с противостоянием с Америкой. Путин – человек, склонный к антагонистическому мышлению, и у него это постоянно прослеживается, когда он говорит о Западе и о Соединенных Штатах. И как человек, который скорее склонен к паневропеизму, чем к атлантизму, он ищет союзников в Европе, а не в Америке. Психологически для него гораздо комфортнее Германия и Италия, к тому же он изучал немецкий язык.

Как все российские президенты — о чем мы говорили и в предыдущих книгах, — Путин начинал, будучи настроен проамерикански. Когда рухнули башни-близнецы — это случилось как раз в первый президентский срок Путина, — он стал одним из первых, кто предложил свою помощь, и Америка этой помощью воспользовалась. Но в какой-то момент Путин вдруг разочаровался в Америке как в партнере. И первоначальный настрой сменился резким антиамериканизмом.

Должно быть, это разочарование послужило одной из причин того, почему на выборы в 2012 году пошел именно Путин, а не Медведев, который внутренне всегда был очень проамериканским, даже в таких с виду несерьезных вещах, как любовь к гаджетам. В самом деле, Путина, как бывшего разведчика, невозможно представить пользующимся подаренным в США айфоном. Это в принципе невозможная ситуация. Наверное, когда Медведеву вручили айфон, у сотрудников ЦРУ случился настоящий праздник души, а пара тамошних ребят тут же побежали за премиями.

Когда Путин только пришел к власти, его фотографировала очень известная канадская фотожурналистка – она работала в Москве и, в частности, сделала классический портрет Путина тех времен, который потом очень часто публиковался. Так вот, во время фотосессии она в какой-то момент сказала: «Владимир Владимирович, а теперь вы меня сфотографируйте», – и дала ему свою камеру. Она даже не успела поднести аппарат близко к президенту – охранники кинулись с разных сторон, снесли и журналистку, и камеру, Путин до нее даже не дотронулся. Потом, конечно, президент все же сделал фото – после того как камеру разобрали, осмотрели и собрали обратно.

Можно, конечно, посмеяться или возмутиться, но вспомните, как закончил свою жизнь один из самых талантливых афганских полевых командиров Ахмад-шах Масуд. Его приехала снимать «съемочная группа», настроили свет, направили камеру и застрелили Масуда из камеры. Понятно, что для исполнителей все тоже закончилось плохо, но задача-то была выполнена. Так что гаджеты – вещь довольно опасная.

В чем еще проявился антиамериканизм Путина? Мы уже упоминали о деле Сердюкова. Один из фатальных промахов, который допустил Сердюков, – это практически полное уничтожение российской «оборонки» и переход на западные поставки. Поэтому принципиальное изменение политики Путина по отношению к политике

Медведева – это изменения, которые он начал, еще будучи премьер-министром. Это был мостик к пониманию того, почему он сам пошел на третий срок, – потому что чувствует, что ему сейчас надо успеть оставить Россию сильной. Чувствует, как действует эта тенденция разрушения. Как ее можно остановить? Только противопоставив ей какую-то другую доктрину.

Путин прекрасно осознает, что ему необходим высокий уровень независимости ближнего круга элит. Для того чтобы противостоять Западу, ему необходимо, чтобы у него был не просто политический класс, а политический класс, от Запада не зависящий. Нужна своего рода национализация элиты. Отсюда все сделанные в последние годы шаги с декларациями, с возвратом средств из-за рубежа и т. п. Весь ближний круг Путина последние годы усиленно выводил деньги из-за границы в Россию, их примеру последовали и другие. Это самая важная тенденция третьего срока Путина – возвращение денег. Потому что это снижение уровня зависимости.

А вот на Украине мы увидели как раз яркий пример того, как люди не вывели средства и их буквально снесли. Откуда появился майдан, кто его раскачивал? Почему все СМИ, принадлежащие олигархам, работали против Виктора Януковича? Сначала Янукович начал отбирать бизнес. А дальше, когда олигархи попытались дернуться, к ним пришли и сказали, что они должны делать.

У них капиталы за границей, семьи за границей, и если бы они не послушались и не сделали то, что от них требовалось, средства были бы заморожены. То есть украинские олигархи показали, что они как раз полностью зависимы от воли Запада. Для Путина это послужило очередным доказательством правильности его подхода.

Путин, как хороший тактик, привык мыслить конкретными задачами, проектами. Он видит задачу и решает ее. О чем говорят события, происходящие в мире? Путин сам об этом сказал: вот эти «хорошие» – их как бы берут к себе, а тех, кто не нравится, тюкают, пока не затюкают совсем. Вот чтобы тебя не затюкали, надо быть сильным.

Именно поэтому он сейчас уделяет огромное внимание оборонному комплексу, выделяет деньги на реформирование армии. Попутно решаются задачи и на идеологическом фронте: если ты вытаскиваешь армию и обороноспособность, дальше просто автоматически подтягиваются уважение к истории, патриотизм и т.д. Путин сейчас видит угрозу во внешнем окружении страны. Его задача – сделать так, чтобы у России была возможность защитить себя. Реальность такова, что невозможно ничего объяснить людям про внутреннюю силу, когда внешне ты гол и бос.

В стране выросло поколение недовольных циников. Наше правительство может выигрывать в любых своих начинаниях, как с Олимпиадой, но критика будет лететь со всех сторон, по крайней мере еще несколько лет. Вопрос времени очень важен. Если сейчас все же создать единый учебник истории и снять правильные фильмы, через сколько лет мы получим патриотов? Примерно лет через 10 – через половину поколения. А армия есть уже сейчас. Совершенно другая.

Здесь процесс идет опережающими темпами. Например, для оздоровления общества гораздо важнее то, что солдат в армии служит год и там нет дедовщины, чем рассказы о том, как надо Родину любить. Путин, будучи прагматиком, идет именно этим путем. Он меняет армию кардинально. Армия становится прозрачной. Офицерам поднимают зарплаты. И тем самым уровень недовольства, который шел от матерей и от призывников, существенно снижается.

У Путина есть еще одна интересная ментальная особенность: он юрист, и, пожалуй, даже слишком. Для него в каждом шаге крайне важна юридическая точность. И, похоже, именно это мешало ему быть хорошим разведчиком: разведчику зачастую надо нарушать правила, а Путин очень склонен к их соблюдению. К примеру, изменения в Конституцию вносил Медведев – сам Путин не хотел на себя это брать.

В одной из предыдущих книг мы рассказывали, как одному из соавторов удалось взять расписку у Владимира Владимировича в том, что он не пойдет в 2008 году на президентские выборы третий раз подряд. Путин тогда, в частности, заявил, что не станет нарушать Конституцию России. Разумеется, в ходе завязавшегося диалога возник вопрос о возможном изменении этого документа — именно для того, чтобы у Путина такая возможность появилась. На этот вопрос Путин ответил, что, по его мнению, Конституцию трогать нельзя и что он не будет приветствовать внесение в нее правок такого рода. Так и оказалось — при Путине Конституция не менялась. Однако вряд ли можно предположить, что президент Дмитрий Медведев через пару лет пошел на изменения в Конституции без одобрения со стороны тогдашнего премьер-министра страны.

Даже когда Путин заговорил о вводе войск на территорию Украины, для него было важно, чтобы соблюдалась легитимность. Другой вопрос, что легитимность может быть лишь формальной, а не сущностной, — но это и есть юриспруденция: пляши вокруг закона и не нарушай его.

К сожалению, сильные стороны Путина зачастую оборачиваются его слабостью. Есть обратная сторона и у мессианства. Ты возвращаешься, потому что тебе некому доверить страну. А если тебе некому доверить страну, ты начинаешь удерживать власть как можно дольше, и в какой-то момент возникает ситуация «Акела промахнулся». Но поскольку твои отношения с народом — это отношения кумира и толпы, то в момент, когда ты что-то делаешь не так, толпа тебя сжирает. Она не помнит того добра, которое ты делал.

В этом вечная беда мессианской модели. Ты никому не доверяешь, опасаешься, что тебе воткнут нож в спину. При том что эта подозрительность — скорее твоя проблема, нежели твоего окружения. А самое страшное — ты перестаешь слушать людей, перестаешь понимать, каким должен быть круг общения. Когда человек находится внутри своего мессианства, он перестает отслеживать, хорошо ли работает система получения информации. Он предпочитает общаться, условно говоря, с духовными наставниками, с тем же Патриархом, а зачастую надо говорить с совершенно другими людьми.

Все, кто работал с Путиным, говорили, что первые три года он слушал всех. Внимательно, долго, записывал, пытался что-то объяснять, спорить. И колоссально рос. Ведь он пришел на должность с огромными пробелами в экономических знаниях, да и в других областях вряд ли мог считаться экспертом.

К слову, что всегда удивляло в принципах общения Медведева — он встречался с людьми, чтобы им что-то рассказать, а не от них что-то услышать. А должно быть все наоборот. Нужно находиться в режиме диалога, спорить, выслушивать другие мнения, ставить под сомнение собственную точку зрения.

Вечный вопрос: кто информирует президента, на основе чего принимаются решения? Естественно, президент не может разбираться во всех вопросах — значит, ему на стол кладутся собранные данные, при этом руководитель страны должен обладать не просто фактами, но и аналитикой от людей, которые получают реальную информацию, обрабатывают ее и за нее отвечают. У нас этим традиционно занимались соответствующие структуры и службы, которые с годами, к сожалению, лучше не становятся — многие из них погрязли в коммерции. Путин явно тяготеет к тому, чтобы прислушиваться к этим службам, и нельзя сказать, что в этом он неправ. Но при этом нужно сохранять определенный уровень требований к их профессионализму.

Журналистам Путин не доверяет, считая, что это очень продажная специальность. И нельзя сказать, что он неправ — за последние годы журналистику превратили в клоаку. Как ни смешно, сегодня репутация журналиста не имеет ничего общего с реальной картиной. Есть целые направления в журналистике, которые фактически занимаются только тем, что литературно обрабатывают принесенные им заказные тексты и ставят в свои издания. Как ни странно, одними из самых независимых долгие годы были именно политические журналисты. Проблема заключалась совсем в другом — они были ангажированы своими политическими взглядами.

Надо сказать, что есть вещи, которые Путину чрезвычайно интересны и изучением которых он с удовольствием ежедневно занимается, — в частности, энергетика, о ней он знает очень много и глубоко разбирается в вопросе. Говорить с Путиным на эти темы – все равно что говорить с замминистра по энергетике. Поясним, почему сравнение именно с замом: дело в том, что Путин знает такое количество деталей, что не всякий министр может быть в курсе.

Путин вообще всегда тяготел к деталям и конкретике. Прибавьте сюда еще феноменальную память и привычку серьезно готовиться. У него есть четкий и понятный подход. Информацию он изучает блоками. И если задать ему вопрос, он сначала думает, к какому блоку его знаний это относится, и дальше, когда классификация уже произведена, следует системный ответ. Конечно, какие-то блоки могут быть проработаны хуже; однако стоит иметь в виду, что уровень обобщения информации по определенному блоку может быть совершенно иным, нежели у собеседника.

Заметим, что, если бы высказывания и аргументы Путина можно было с легкостью разбить и раскритиковать, это давно было бы сделано, тем более что в желающих недостатка нет. Однако при всем множестве публичных выступлений Путина мы не видим сколь-нибудь заметного количества ляпов, которые были бы растащены на разбор комментаторами и критиками. Иными словами, Путин всегда отдает себе отчет в том, что говорит, и формулирует очень аккуратно.

Подчеркнем еще одну важную деталь. У человека, занимающего высочайший в России государственный пост, неизбежно появляется ощущение «здесь всё мое». Безусловно, есть оно и у Путина, но отличие Путина в том, что он не воспринимает это «всё» как свои личные игрушки. Он ассоциирует себя с государством, с государственными интересами. Он чувствует, что поставлен на это место, чтобы приумножать богатство страны, а не набивать свои карманы. Перед ним был Ельцин со своим кланом, который как раз занимался собственным обогащением.

Путин не хочет идти этой дорогой — поэтому ничего не слышно о дочерях Путина, о счетах и драгоценностях жены Путина. Даже двоюродный брат Путина всегда занимал какие-то непонятные должности и в конечном итоге оказывался по большому счету «не при делах». Мы не видим, чтобы сам президент был особо к чему-то склонен в личном плане. Он достаточно аскетичен. По крайней мере то, что показывали народу по телевизору — вроде завтрака в президентской резиденции, с трогательно укрытым целлофаном творожком из холодильника и недопитой бутылкой кефира, — вызывало желание президента приютить и накормить.

Другое дело — друзья Путина и пресловутый кооператив «Озеро». Вообще, почти у каждого политического деятеля в любой стране мира есть некий круг приближенных, который занимается финансами. Есть такие люди и у Путина. Однако даже здесь мы видим, что интересы остальных участников не сильно ущемлены. Яркий пример: кто больше всех получил, когда свалили ЮКОС? Отнюдь не кооператив «Озеро». Никто не переходил дорогу бизнесу Михаила Прохорова, Алишера Усманова или Михаила Фридмана. Не было такого, что устроил тот же Янукович, который без особых раздумий грабил то, что нравилось.

Поэтому, когда говорят, что кто-то Путину носит чемоданы денег, — это даже не смешно. Понятно, что каждый судит по себе: «Сяду на должность, буду брать взятки». Но в данном случае работает совершенно иная психология, совершенно другой тип мышления. Мало того, у Путина еще и специфическое чувство юмора — он ведь заставил всех, кого мог, по большому счету заплатить налог на «принесенное ветром» богатство строительством олимпийских объектов в Сочи. Расходы бюджета на Олимпиаду составили меньше половины итоговой суммы — а в остальном «помогли» олигархи.

Воспитание единства

Национализация правящего класса вполне укладывается в парадигму третьего срока Путина. Если элита недостаточно патриотична, это нужно исправить. Нельзя заставить быть патриотами, но можно уничтожить саму возможность быть непатриотами и связывать свою политическую и личную жизнь с другой страной.

То же самое касается коррупции. Мы видим, что бороться с коррупцией 1990-х, 2000-х годов или медведевского периода Путин не стал. И Сердюков гуляет на свободе, и его подруга, и подмосковный прокурор. Но, похоже, была поставлена задача отсечь новое поколение российских политиков от коррупции. Со старыми разбираться не стали, они уже потеряны, а тут неизбежно начнется передел собственности, суды, пересмотр результатов приватизации, и все это может плохо кончиться. А вот новое поколение, молодое, нужно сразу уберечь от коррупции.

Как это сделать? В первую очередь, отсекать чисто юридически и финансово: повышать зарплаты, увеличивать наказание за нарушения при подаче деклараций, запрещать иметь счета и собственность за границей, упирать на то, что дети должны учиться в России, и т. п. И, похоже, практически весь кремлевский истеблишмент во главе с Путиным стал прикладывать очень большие усилия к изменению морали.

Аморально стало быть взяточником. Десять или даже пять лет назад отношение к взяточникам было просто как к людям, которые отлично устроились в жизни: пошел на госслужбу, там такие распилы, такие откаты... Взятка в принципе никогда не считалась в российской общественной морали серьезным преступлением — к ней относились скорее как к смазочному веществу для механизма государственной власти.

Сейчас появляется поколение российских чиновников, для многих из которых госслужба является действительно серьезным делом, полем для карьерного роста, то есть они становятся более европейскими в этом смысле. И попадаться на взятках как-то уже и неудобно. Такая задача была поставлена, ее в свое время сформулировал глава президентской администрации Сергей Иванов: изменить мораль в обществе таким образом, чтобы взятка была делом грязным. И отношение к госслужбе стало меняться – это уже не просто хлебное место, где можно набить карманы и через пару лет уйти оттуда.

Министром обороны стал Сергей Шойгу, появились молодые офицеры, пошли деньги в ВПК. Если раньше ракеты падали и это вызывало смех – мол, чего еще можно ожидать! – то теперь, если ракета падает, это профессиональная трагедия. Люди стараются работать лучше – то есть появились настроения, напоминающие, если угодно, энтузиазм 1930–1940-х годов, когда граждане были искренне нацелены на то, чтобы сделать лучше для государства.

Люди должны чувствовать себя комфортно в своей стране. Свой своего узнает не по тому, сколько он зарабатывает, и не по тому, какая в стране политическая система, а по каким-то очень, скажем так, интимным характеристикам.

Конкретно – по отношению к тем или иным вещам. К стране, к языку, к религии, к семье, к культуре, да хоть к тем же секс-меньшинствам. Как мы уже говорили, Россия на протяжении последних десятилетий была чрезвычайно несобрана в этом смысле.

Путин как-то раз выразился в том плане, что Россия – крайне запущенная страна. Это та самая разруха в головах, о которой писал Булгаков в «Собачьем сердце». И Путин, судя по всему, пришел к выводу, что невозможно собрать страну, если люди на Урале и Дальнем Востоке, в Сибири и на Кубани, в Нечерноземье и Поволжье думают по-разному и по-разному оценивают одни и те же вещи. Какая бы ни была экономика, какая бы ни была армия, каков бы ни был рейтинг президента – если люди думают по-разному, страна не будет единой. Если житель Владивостока, собираясь отправиться в Москву, говорит «полечу в Россию», – это не единая страна.

Если у страны нет общей исторической памяти – страны нет. Поэтому так важна идея единого учебника, возврат к общей национальной версии истории, которая есть у любой страны, и только Россия в 2000-е годы оказалась исключением из общего правила. У каждой социальной группы было свое понимание истории, свое к ней отношение. Дискуссии шли по принципиальнейшим вещам – к примеру, кем были Ленин и Сталин и как надо относиться к Горбачеву и Ельцину, –

при том что в этих вопросах желательно иметь хоть какой-то консенсус, пусть не всеобщий, но все же среди большинства. Ничего этого в свое время не было сделано. Поэтому общие исторические ориентиры, хотя бы в виде концепции, позитивной для России, обязательно должны быть предложены.

Показателен возврат к ценностям, к морали. Надо сказать, что российская мораль всегда была коллективной, соборной, прощенческой, очень по своей сути христианской. Россиянин, в отличие, скажем, от западноевропейца, скорее пожалеет лежащего на улице пьяницу, поможет ему, дотащит до скамейки, а не просто вызовет полицию, чтобы его увезли. Вот такую мораль Путин, судя по всему, намерен возродить.

Люди должны бережно относиться друг к другу — в конце концов, россиян не так много осталось. Хватить гнобить друг друга, убивать, раздражать, сокращать жизнь. Медицина должна быть хорошей не потому, что это «правильно», а потому, что нас мало и надо беречь себя. Именно поэтому Путин неоднократно говорил, что российские солдаты нигде больше не будут гибнуть за чужие интересы. Именно поэтому он борется за повышение рождаемости и увеличение продолжительности жизни. Безусловно, многое тут зависит от экономики, но самоощущение людей, самоощущение страны — очень важный фактор, если даже не первостепенный.

Другое дело, что, когда мы говорим о традиционных ценностях, возникает очень много вопросов. Почему именно эти ценности мы должны считать традиционными? Почему именно этот вид семьи мы должны считать традиционными? Ведь с точки зрения истории семья так сильно трансформировалась в разные периоды и в разных странах, что даже хронологически трудно сказать, существование какого типа семьи является самым длительным в человеческой цивилизации. Не говорим уж про сексуальные меньшинства, которые в разные периоды человеческой истории иногда очень даже были на коне.

Так вот, возникает вопрос, почему именно те ценности, которые Россия собирается отстаивать, нам предлагается считать традиционными, а то, например, что Россия является чемпионом мира по абортам, что тоже противоречит любым библейским постулатам и человеческой морали, никого особо не волнует? Про аборты никто никогда нигде не говорит, и это почему-то вполне вписывается в представления некоторых консервативных депутатов о ценностях семьи: это только спать с чужими мужчинами нельзя, а аборты можно делать хоть каждый год. При том что можно с легкостью привести аргумент в пользу диаметральной позиции: секс на стороне ерунда, а вот убийство ребенка, которого вы делаете, — гораздо более аморальная вещь.

С другой стороны, та же Америка — страна

очень религиозная, люди там в массе своей ходят в церковь гораздо чаще, чем россияне, семейные ценности очень сильны, но и там количество разводов и абортов крайне велико. Интересно, кстати, что в России число венчаний почему-то не растет в геометрической прогрессии, что на самом деле тоже вызывает вопрос: вы хотите, чтобы семьей можно было называться только после того, как государство поставит штамп, — а почему не церковь, не Бог? Хотя, конечно, венчание — это совсем другая ответственность.

Как бы там ни было, вопросы о ценностях возникают. То есть сама концепция ценностей вполне приемлема, но необходимо понять, почему именно эти ценности выбраны в качестве ориентиров, а не другие, почему отбор шел именно в этом направлении, какие критерии лежали в его основе.

Выше мы отмечали, что в рамках своей идеологической работы Путин — сам либо через свою команду, через администрацию, — старается решать, пусть и с большими ошибками и перегибами, серьезнейшую проблему: уничижительное отношение россиян к себе. Все плохо, мы все делаем не так, страна в загоне — хотя на самом деле Россия, скажем так, далеко не последняя страна мира по своим достижениям, от технических и военных до спортивных и культурных. Заткнуть за пояс мы способны очень многих. Но россияне тяготеют к самокритике, притом в исключительных масштабах.

В последние годы эта критичность – «да что с нас взять», «мы ничего не можем», «ну извините, это Россия», – была основной линией и в публицистике, и в телевидении, и на радио, и в художественных фильмах. Сейчас в политике появились люди, которые стали ломать эту парадигму, и Путин теперь ведет себя более сдержанно. Обратите внимание – он стал гораздо меньше защищаться. Даже когда на него нападают, он тихо и размеренно, без надрыва объясняет свою позицию. Еще несколько лет назад он горячился, волновался – вспомните Мюнхенскую речь, – а сейчас успокоился.

Патриотизм действительно удалось разбудить – все эти «Россия, вперед!» и «Нас не догонят», казалось бы, несерьезные мелочи, в сумме дают значительный эффект. Появилось множество людей в футболках и кепках с символикой России, чего еще пять-семь лет назад невозможно было представить. Олимпиада, о которой Путин говорил, что она призвана встряхнуть страну, действительно ее встряхнула – давно мы не видели такого массового энтузиазма по поводу каждой медали. И если все это сложить, можно увидеть направленность на создание чего-то, что объединяло бы людей.

Советский Союз был самодостаточной страной, отдельной цивилизацией, которой не нужно интегрироваться ни в Запад, ни в Восток, потому что она сама по себе играет достаточно заметную роль для человечества. Маяковский писал: «У советских собственная гордость». Сейчас мы возвращаемся к этому ощущению. В России формируется отдельная система ценностей, которая, правда, пока скорее отталкивается от чего-то – и от того же Советского Союза, и от Запада, – чем предлагает нечто свое, но тем не менее это тоже один из путей создать комплексное мировоззрение, причем довольно быстрый.

Один из авторов этой книги, долгое время проживающий в США, может на собственном опыте сказать, что сейчас стало не то чтобы модно, но по крайней мере, выражаясь молодежным языком, прикольно быть русским за границей. А ведь еще несколько лет назад русские пытались скрывать свою национальную принадлежность, стеснялись громко говорить по-русски, не общались друг с другом. Теперь же довольно много наших соотечественников и в Америке, и в Западной Европе собираются в русских клубах и ресторанах, громко поддерживают русских спортсменов на соревнованиях – и это абсолютно нормально.

Русские в этом смысле отчасти начинают напоминать англичан XIX века или американцев XX-го – да, это мы, мы самодостаточны, мы чувствуем себя уверенно в любой части земного шара. Тем более что русские туристы стали ездить по всему миру. Это, конечно, очень небольшая часть российского общества и далеко не всегда лучшая его часть, но тем не менее у этих людей есть деньги, они не попрошайки, они платят за себя. И в этом смысле ощущение себя в мире у россиян стало меняться.

Интересно, что обычно именно русские, переезжая жить в другие страны, очень долго, а то и всю жизнь чувствуют себя в той или иной степени чужими в новой социальной среде. Даже если эта среда исключительно гостеприимная и доброжелательная. Что-то есть в нашем традиционном национальном менталитете и характере, воспитании и восприятии мира, что мешает нам глубоко интегрироваться в другую культуру. Нет, наверное, больше ни одного народа, представителям которого было бы так трудно и психологически тяжело это делать. Даже китайцы или арабы, похоже, адаптируются сегодня гораздо быстрее.

Это старая проблема русской эмиграции. Конечно, дети эмигрантов сразу становятся европейцами или американцами и смотрят на родителей, остающихся этакими «совками», с некоторой иронией и высокомерием. Однако интересно и то, что в последнее время это качество россиян перестает проявляться — люди, приехавшие из России в другие страны жить или работать, все легче и легче адаптируются к новым условиям. Новые поколения россиян становятся все более открытыми к другим культурам и традициям, нравам и мировоззрению. Это видно невооруженным глазом. Забегая вперед, можно сказать, что, пожалуй, именно некая, если можно так сказать, космополитичность россиян, начавшая набирать силу после распада СССР, становится одной из проблем, которые волнуют сегодня российское руководство.

Одновременно идет определенная девальвация – пожалуй, не совсем справедливая – Запада, западного образа жизни, западной демократии. Наверняка это разочарование впоследствии сменится более реалистичным пониманием, маятник качнется в обратную сторону, но Россия, бесспорно, сегодня чувствует себя гораздо увереннее именно в плане самоощущения. Не с точки зрения экономики – экономика в плохом состоянии; и не с точки зрения политики – ее нет, за исключением одного политика, который рулит всем; и не внешней политики, которая по большому счету не слишком успешна, – а с точки зрения психологии.

Если посмотреть данные социологических опросов, проведенных за последнее время, можно увидеть, то самоощущение россиян резко повысилось – люди в большинстве своем считают, что живут в стране сравнительно успешной, достаточно богатой и относительно благоустроенной. Это огромный сдвиг. Появился оптимизм. Чем-то он напоминает ситуацию второй половины 20-х годов XX века, когда Россия поймала драйв.

Последние три года Путин пытается, пусть грубо, с ошибками, раздражая как либеральную, так и ультранационалистическую часть российского общества, внедрить этот драйв в голову среднего россиянина, заставить его уважать свою страну не только потому, что она экономически успешна и обладает огромной армией, а в первую очередь потому, что это общество «своих», людей, которые думают более-менее одинаково. А для человека, повторим, всегда очень важно иметь вокруг тех, кто может ему сопереживать, кто оценивает жизнь примерно по тем же критериям, что и он сам. Тогда он чувствует себя в безопасности.

Пожалуй, переломным моментом стало то, как два года назад Россия действовала во время наводнения на Дальнем Востоке. Страна восприняла эту катастрофу как национальную. И Путин, который постоянно летал из Москвы на Дальний Восток и обратно, сыграл объединяющую роль. Он демонстрировал, что это проблема всей страны: если Дальний Восток залило, то плохо всем, а если мы решим эту задачу, то всем будет хорошо.

Сегодня россияне чувствуют себя в своей стране большинством — при том, что еще совсем недавно Россия была страной огромного количества меньшинств. Это тоже нормально — чувствовать себя меньшинством, — плохо, когда нет ничего общего, а только различия: богатые, бедные, кавказцы, русские, москвичи, провинциалы, молодые, старые, среднего возраста, хорошая работа, плохая работа, с машиной, без машины... Сейчас между всеми этими людьми возникла связь.

ОБЩЕСТВО И ВЛАСТЬ: ДВЕ СТОРОНЫ ОДНОЙ МЕДАЛИ

Россия: Ментальность подвига

Слова о незрелости гражданского общества в России давно стали общим местом. Но чем можно объяснить такое положение вещей? Кто мешает людям объединяться и бороться за свои права? Разве правительство или лично президент мешают уничтожить систему школьных поборов, когда учителям носят взятки за хорошие оценки? Разве президент заставляет родителей эти взятки давать? Или «Единая Россия»? Конечно, нет.

Когда водитель автомобиля, нарушив правила, дает взятку гибэдэдэшнику вместо того, чтобы взять квитанцию за правонарушение и пойти честно оплатить штраф в банке, он вместо штрафа, условно говоря, в 200 рублей дает гаишнику 500. А кто виноват? Разумеется, гибэдэдэшник виноват – он представляет государство и он коррупционер. С этим никто не спорит. Но сами-то автолюбители кто в такой ситуации? Точно такие же коррупционеры.

Круговорот коррупции в стране очень серьезный, и те же самые доценты, берущие взятки за поступление в вузы, возмущаются, когда с них берут взятки гибэдэдэшники, которые в свою очередь возмущаются, когда с них берут взятки врачи, которые в свою очередь обижаются за то, что доценты с них берут взятку за поступление их детей в институты. Неужели Путин затеял эту систему? Во всем мире, как это ни прискорбно, есть коррупция, но где-то она купируется, ей оказывается противодействие. Но не в России.

Основным противовесом коррупции является отнюдь не то, что власть сама себя охотно бьет по рукам — нигде в мире власти это не доставляет удовольствия. Борьба с коррупцией заключается в том, что население страны формирует мощную сетевую структуру, которая во всем мире называется гражданским обществом, где появляются тысячи и сотни тысяч людей, которые готовы бороться за свои права.

Есть особенность российской ментальности — она называется подвиг. Должно быть, она тесно связана с сущностью нашей веры. Мы совсем не протестанты, поэтому и демократия, и жизнь, и политическая система у нас построена совершенно на иных принципах, чем у каких-нибудь скучных американцев или европейцев. В России сама идея ежедневного тяжелого служения кажется глупой и абсурдной. Гораздо важнее: р-раз — и подвиг!

В этом плане очень показательна история, рассказанная архимандритом Тихоном (Шевкуновым): в 1918 году в монастырь ворвались вооруженные матросы и начали вести себя безобразно:

пили, кутили. Сказали монахам: «Давайте, снимайте свои нательные кресты и топчите их, все равно ваш Бог ничего не значит». И тогда настоятель сказал: «Знаете что, братья, — жили как свиньи, так хоть умрем как христиане». Но почему-то мысль, что неплохо бы и жить как христианам, в голову никому не приходила.

Если посмотреть на политическую историю России, мы увидим там историю мифологизации отдельных героев. Народ безмолвствует, в точности как у Пушкина. Это знаменитая вера в хорошего царя и плохих бояр, это былины про Илью Муромца, который сидел сиднем 33 года, а потом встал и пошел бить врагов, и сказки про Иванушку, который неожиданно женился на царевне и получил все, что хотел, и Тридесятое царство в придачу.

Это пестрота ожиданий от результатов и нежелание вкладываться в медленный и упорный, ежедневный и незаметный труд. Обязательно нужно коня на ходу останавливать, в горящую избу входить — иначе это будет и не политика, и не действо. Все это является колоссальным отягощением для российской политической культуры и перевешивает все попытки демократических новаций. Это огромная историческая традиция. Есть пословица: «Русского побей — он часы выдумает». Почему-то просто так выдумывать неинтересно, обязательно надо, чтобы побили.

У знаменитого высказывания профессора

Преображенского из «Собачьего сердца», которое очень часто цитируют сторонники этой позиции, – о том, что «разруха сидит не в клозетах, а в головах», – есть продолжение. Его никто не помнит, а те, кто помнят, тоже стараются не цитировать до конца. А продолжение очень простое. Смысл его заключается в том, как решить эту проблему разрухи в головах. Причем заметьте, говорит это интеллигент, глубоко образованный, европейски мыслящий, знаменитый профессор Преображенский: поставить городового рядом с каждым человеком. У Михаила Булгакова фраза профессора так и звучит: «Городовой! Это и только это. И совершенно неважно – будет ли он с бляхой или же в красном кепи». Тогда жизнь в стране наладится. То есть даже здесь утверждается представление о людях, которых надо заставлять работать, иначе они работать не будут, толкать их к подвигам. Но они в конце концов восстанут против очередного «городового» и сметут его, как лавина.

Раз за разом эта особенность социокультурного и политического менталитета проявляется, с одной стороны, избеганием ежедневной, упорной и методичной работы, а с другой – желанием снести все одним махом, притом идей, «а что собственно после этого будет построено», нет или они очень слабы. В советское время достаточно было быть не как все, проголосовать против или воздержаться, и ты автоматически становился врагом. И страна до сих пор моментально делится на врагов и своих, никто не хочет искать компромисс.

Культура компромисса, тем более политического, в России отсутствует в принципе. Можно сказать, что Россия – страна, постоянно беременная бунтом. Разве что бунт здесь носит характер индульгенции – ведь, как известно, бунт никогда не разбирает, кто прав, кто виноват. Неужели в подлости и мерзости царского режима была виновата исключительно семья Николая II, а особенно дети, принесенные в жертву неизвестно чему? И при этом огромное количество подонков, мерзавцев и казнокрадов со всем своим добром спокойно уехали за границу, где неплохо себя чувствовали, а многие перешли на службу новой власти.

Многие стали забывать о гигантских митингах конца 1980-х – середины 1990-х годов. Это был период, когда страну постоянно кидало из митинга в митинг. Гудение многотысячных толп на площадях практически не прекращалось. Тогда казалось: вот она – настоящая свобода! Причем, что очень важно, митинги в то время были неразрешенными, несанкционированными. Поэтому культура бунта в России есть, а вот чтобы появилась культура изменений, необходима не истерика, после которой каждый раз к власти приходит очередной обманщик и люди оказываются преданными и разочарованными. Должны приходить прагматики. Имеют ли право граждане выходить на площадь? Конечно. Но нельзя выходить вместе с людьми недостойными и под подлыми лозунгами.

Культура успешного бунта на самом деле приводит к мягкой или острой революции. Культура бунта неуспешного приводит к его поражению и репрессиям, к паническим настроениям и агрессивности власти. Успешный бунт, собственно говоря, это и есть революция. Но любая революция антиконституционна, поэтому она даже по логике своих событий не может приводить к появлению не только конституционного, но и политического и юридического порядка.

Самые честные выборы после революций проходили, как правило, через два-три поколения, потому что революцию совершают именно для того, чтобы исключить возможность выборов. Появление легитимной власти после революции невозможно — вспомним, что после каждой из российских революций в XX веке власть теряла часть своей легитимности, устраивала репрессии и проводила нечестные выборы.

Есть такая незамысловатая шутка: демократия — это власть демократов. В общем-то, логично. Но важно то, что демократия — это власть демократов в условиях, когда каждый понимает собственную ответственность — перед самим собой, перед своей семьей, перед своим районом, перед школой, где учатся его дети, перед двором, где он гуляет, и перед домом, в котором он живет. Все это должно быть заботой не государства, а граждан.

К сожалению, в России фундаментально уничтожено уважение к муниципальным органам власти, которые, между тем, наиболее приближены к жизни отдельного человека. Президент Путин на жизнь простого российского обывателя оказывает микроскопическое влияние. И наоборот, огромное влияние оказывают мэр города, городская дума или районная управа. Качество водопроводной воды, начало и конец отопительного сезона, регулярность вывоза мусора, работа дворников и даже уличная преступность – все это лежит в сфере компетенции мелких чиновников.

Но бороться с мелкими чиновниками никому не интересно. В самом деле, на митинг не выйдешь, по телевизору тебя не покажут. Играть, так по крупному! Сперва боролись с коммунистами, потом были уверены, что если Горбачева сменит Ельцин, то жизнь внезапно наладится и все станут ангелами, после ухода Ельцина начали боготворить Путина, а потом и Путин стал нехорош.

Неумение простого российского обывателя подходить системно к анализу ситуации в стране является обратной стороной недавнего политического кризиса. Это вечное полярное видение ситуации: всякий раз кто-то оказывается черным, а кто-то – белым и пушистым. Потом они вдруг меняются местами. И никто всерьез не задается вопросом, почему же в стране до сих пор не создана система власти, которой сам народ был бы доволен.

Отношения между обществом и властью в России не меняются веками – а все потому, что на самом деле общество и не требует другой власти. Это, к слову, очень удивляет американцев, которые часто спрашивают: почему вы, русские, такие умные и замечательные, вы создали великую литературу, великую науку, у вас есть великие технические достижения, лучшие шахматисты и лучшие математики – почему же вы за тысячу лет не смогли создать себе власть, которой вы сами будете довольны?

Здесь во всю мощь работает еще одна российская традиция: убежденность, что виноваты все вокруг, кроме меня, а вот если бы мне не мешали – я бы развернулся. На государственном уровне препятствием служат президент, правительство и «Единая Россия», на межгосударственном – виноваты Америка, НАТО или ВТО, но только не мы сами. Все вокруг вставляют нам палки в колеса, пытаясь помешать или честно жить, или построить великую державу, или создать нормальную экономику. Какая-то удивительная инфантильность, глубокая наивность народа. При этом мы привыкли считать себя духовнее и культурнее всех остальных, что, однако, никак не связано с грязными общественными туалетами.

Фактически мы постоянно требуем от власти сделать нам хорошо. А власть не делают хорошо – у ее совсем другая задача. Знаменитый русский философ Николай Бердяев писал: «Государство существует не для того, чтобы превращать земную жизнь в рай, а для того, чтобы помешать ей окончательно превратиться в ад».

Власть — это тормоз, на который водитель нажимает за секунду перед столкновением с другой машиной, чтобы спасти себе жизнь. А «делать хорошо» — это как раз важное умение водителя. Водитель, который купил права за углом в подземном переходе, разобьет самый дорогой, самый навороченный, самый безопасный, напичканный всем, чем только можно, автомобиль и разобьется сам — потому что он не умеет им управлять. Качество водителя должно соответствовать качеству автомобиля.

Создание благополучного эффективного общества, в том числе гражданского общества, требует не митингов и лозунгов, не красивых зажигательных «кричалок» в мегафон, а, повторим, ежедневной нудной и методичной работы. Один из авторов этой книги однажды посетил лекцию в Гарвардской школе бизнеса — туда часто приглашают крупных бизнесменов. В тот раз лекцию читал какой-то страшный дядька из Техаса, сделавший свои миллиарды долларов на нефти. Он, как говорится, Гарвардов не кончал, и вообще, кажется, у него не было высшего образования. Студенты Школы, будущие менеджеры и бизнесмены, задали ему вопрос: «В чем секрет успеха?» Они задают этот вопрос всем. Техасец ответил: «Мой секрет успеха в следующем: вы просыпаетесь в пять утра, отрываете свою задницу от кровати, идете на работу и до девяти вечера вкалываете. Вот и весь успех».

Историй такого успеха в России, к сожалению, мало, это непривычный для нас способ действовать. Никто не хочет рано вставать, идти в суды, писать документы, заниматься рутинной работой полноценно и честно, а не валить ее на кого-то другого. Но вот что интересно: одна из величайших трансформаций в Соединенных Штатах, когда чернокожие в 60-х годах прошлого века получили равные права с белыми, произошла не революционным путем, а стала результатом судебных исков и эволюции общества.

Были в американской политической культуре и еще более масштабные сдвиги — например, когда равные права получили женщины, то есть половина населения страны. И все это стало итогом акций гражданского общества, которые привели к системным изменениям в законодательстве Соединенных Штатов.

Тот же любимый американцами уровень безопасности автомобилей появился не в результате революции, а в результате законотворческой деятельности злобного и противного журналиста по фамилии Найдэр, который постоянно подавал иски против автомобильных компаний и выигрывал их. Сначала над ним смеялись, его презирали, вышучивали, но прошло время, и теперь весь мир ездит с ремнями и подушками безопасности, которых не было до этого. Один человек заставил все автомобильные гиганты заботиться о безопасности людей.

Общественный договор мелким шрифтом

Россияне всегда относились к государству патерналистски – как к институту, который должен обеспечивать организацию жизни, безопасность, воспитание, образование. В этом нет ничего плохого – в конце концов, в Конституции записано, что Россия – социальное государство. Однако при этом мы не только упорно сопротивляемся введению прогрессивной шкалы подоходного налога, но и прямо уходим от налогов, если есть хоть малейшая возможность их не платить.

Возникает забавная ситуация: если американцы или европейцы требуют от своего государства гораздо меньше, то дают они ему гораздо больше – в виде разнообразных налогов. Средний американец, например, отдает государству около 40% своего дохода. А россиянин – всего 13%. Компании платят больше, но это все равно несравнимо с ситуацией на Западе – даже в тех странах, которые в принципе не являются социальными государствами. Но если общество готово платить за содержание государства так мало, оно не может ожидать от этого государства слишком многого. Государству может элементарно не хватить денег, что и случается с удручающей регулярностью.

Общество настроено довольно эгоистично. Любой политик, включая Путина, который поднимет вопрос о серьезном повышении налогов — при том что дефицит бюджета еще будет расти и экономика находится не в лучшем состоянии, — вызовет в обществе крайне негативную реакцию. Сегодня у Путина есть возможность начать потихоньку двигать эту тему, учитывая, что впереди у него довольно много времени — больше четырех лет президентского срока, по истечении которых есть неплохая возможность остаться еще на шесть лет. Но это требует принципиального пересмотра отношений между обществом и государством. Фактически нужно переписать общественный договор, сложившийся на сегодняшний момент, — чтобы общество требовало от государства меньше, а отдавало на его содержание больше.

На практике же осуществить такое будет совсем не просто. В России и так малый бизнес в загоне, огромную роль играют госкорпорации с особым режимом налогообложения. В этом смысле вся концепция государства в России — не либеральная, патерналистская, традиционалистская. Можно ли в рамках такого государства успешно выйти из экономических кризисов — вопрос открытый. Но то, что общество потребительски относится к государству, при всех его минусах, свидетельствует о том, что общество не понимает важности государства для самого себя. Особенно сейчас, в

XXI веке, когда понятие суверенного государства начинает потихоньку размываться.

Мы, наверное, последнее — или предпоследнее — поколение, которое живет в рамках понятия национальной экономики. Экономика становится глобальной, информационные, коммуникационные и финансовые системы тоже становятся глобальными. Посмотрите, как ситуация на Украине ударила по рублю. Путин на одной из пресс-конференций сказал, что это произошло в результате решения ФРС США и таким образом Америка сделалась привлекательной для инвестиций страной. Конечно, это не так — но даже если так, то кто мешает сделать Россию привлекательной таким же способом? А если Америка становится привлекательной так легко, а Россия так тяжело на это реагирует и настолько сильно зависит от того, что делает Федеральная резервная система, то где здесь суверенитет?

Вопрос общественного договора вообще очень интересен и далеко не прост. Здесь наглядно проявляется коренное различие российского и американского подходов. Американский подход — это действительно вопрос взаимных ожиданий государства и общества, иными словами, общественного договора. Но в России, как это часто бывает, попытка перенести на нашу почву замечательно работающую в западном мире матрицу отношений обречена на неудачу. Все работает совсем не так. Потому что власть в России не считает и никогда не считала нужным ни с кем договариваться.

Наивное ощущение людей, что власть обществу что-то должна, оборачивается другой стороной. Российская власть – в самом общем смысле – считает, что это ей не повезло с народом. Что она как раз замечательная, а народу вечно что-то надо. Для него и так столько делают – а он недоволен. Изменить это отношение практически невозможно, и власть имущие возмущаются совершенно искренне.

Есть выражение, которое приписывают то Черномырдину, то Жириновскому, хотя на самом деле оно принадлежит Михаилу Жванецкому: «Мы обещаем-обещаем, а им все мало и мало». Фраза остроумная, хлесткая, однако по сути верная. Проблема власти в том, что она привыкла считать народ крайне пассивным, не реагирующим на давление со стороны верхушки, которая что-то начинала делать по своему усмотрению. Власть не верит в искренние глубинные сдвиги, происходящие в народе, и поэтому, когда недовольство выплескивается на поверхность, как во время выступлений на Болотной, власть расценивает случившееся как результат какого-то стороннего заговора. Иными словами, власть пытается не выявлять и анализировать причины, а искать того, кто заказал. Что, естественно, сильно влияет на качество принятия решений.

Поэтому фраза Путина по поводу Украины: «Я понимаю, почему люди вышли на Майдан», – прозвучала для российского истеблишмента революционно. Российский истеблишмент привычно не желал ничего понимать и был уверен, что майдан кто-то проплатил. Конечно, на майдане были инструкторы, но дело не в этом – были и глубинные причины, которые создала сама украинская власть.

Что характерно, Путин вовсе не пытался сказать, что плохой Запад заплатил нескольким десяткам тысяч людей, чтобы те вышли на майдан. Речь шла вообще не об этом. Но в российской элите такое отношение очень сильно представлено. Есть такое умное слово «технологии» – в него принято верить и использовать его как объяснение всему пугающему или непонятному. Никто, собственно, не отрицает наличия определенных технологий, однако у каждой технологии есть свои ограничения.

Кстати, ставшая за последнее время очень популярной фраза «Я налогоплательщик, значит, на мои деньги это все происходит», появилась и проросла в общественном сознании именно благодаря усилиям технологов. Поэтому давайте вернемся к вопросу налогов и посмотрим, кто является их главным поставщиком в казну государства. Нетрудно заметить, что это не индивидуальные плательщики и даже не конкретный мелкий и средний бизнес. Гигантскую долю в наполнение бюджета вносят две структуры. Первая – таможня. Вторая – углеводородный сектор. И всё. По большому счету люди могут вообще ничего не платить.

Поэтому государство и защищает в первую очередь интересы своих основных налогоплательщиков – оно же прекрасно понимает, что народ все необходимые на поддержание жизнеобеспечения огромной страны расходы на себя не возьмет, у народа таких денег нет. Значит, надо беречь источники доходов, как бы это ни было вредно с точки зрения политического развития. Если Россия начнет давить свою таможню и сделает ее подобием американской – в Америке таможенные платежи составляют примерно четыре процента от поступлений в бюджет, – то нагрузка на граждан и бизнес станет непомерной.

Пойдем дальше. Почему-то мало кто задумывается над тем, сколько налогов мы платим реально. Вот ты получаешь зарплату, с которой было удержано 13% подоходного налога – эта цифра всем хорошо известна, – и идешь ее тратить. Решаешь купить, к примеру, машину – и тут же вступаешь в финансовые отношения с государством, получая обязанность платить ряд налогов. Например, налог на автотранспорт, который по сути совершенно бессмысленный – он почему-то привязан к мощности двигателя. Потом ты едешь на заправку, и тут начинается сумасшествие, потому что приходится отдавать кучу денег вообще непонятно за что — оказывается, в цене бензина зашито еще дикое количество налогов.

То есть, если задать себе вопрос, сколько же у нас реально забирают в виде этих «вшитых» налогов, становится понятно, что все далеко не так просто и свою роль играет множество скрытых факторов. В России так часто бывает — декларируется одно, а на самом деле чуть-чуть иное. Как в кредитном договоре — указывается процент, а дальше звездочка и много текста мелким шрифтом внизу страницы, и в результате оказывается, что заявленная в основном тексте ставка невзначай подрастает еще на 5–6%.

В отношениях общества и государства вообще очень много такого мелкого шрифта, который никто не удосуживается читать. Собственно говоря, у нас вся Конституция мелким шрифтом. Гражданам гарантирована куча всего — но как это реализуется? Право на жилье, право на труд — вот они, черным по белому, ну а дальше-то что? Или то, что в Конституции написано по поводу недр — там сам черт ногу сломит, ничего понять нельзя. С одной стороны, недра вроде бы принадлежат всем, а с другой — как это реализовать? Или утверждение, что источником власти в стране является народ — что это конкретно значит?

Все рассуждения об общественном договоре разбиваются об этот мелкий шрифт. Никто ни с кем не собирается договариваться, есть только вечное недовольство одних другими. Народ недоволен властью, которая им управляет, власть недовольна народом, который ей достался в управление. Не было ни одного момента в истории, когда народ был бы доволен. С теплотой принято отзываться только об уже прошедших периодах истории. И так было всегда. У Пушкина есть такая фраза: «Люди никогда не довольны настоящим и, по опыту имея мало надежды на будущее, украшают невозвратимое минувшее всеми цветами своего воображения», – особенно если они плохо помнят это минувшее. Ведь самые большие патриоты как раз те, кто не силен в собственной истории.

Таким образом, мы возвращаемся к началу – к качеству власти. Да, как ни противно это сознавать, но качество российской власти всегда является результатом качества российского общества. И все фразы «воспитайте», «сделайте», «поднимите» – ну послушайте, ну посмотрите уже в зеркало! Любая власть всегда, во все времена была производным общества и менялась в зависимости от эволюции общественного сознания. Конечно, есть (и всегда были) во власти и преступники, и воры; и преступник, обладающий административным ресурсом, может нанести больший ущерб, чем рядовой гражданин; но когда с негодованием ругаешь власть, всегда стоит смотреться в зеркало. У американцев есть мудрая поговорка: «Мы долго искали врага, а когда наконец с ним встретились, увидели, что это мы сами». И эти слова справедливы для любого общества.

Зачем власти оппозиция?

Каждый наш соотечественник точно знает, как построить футбольную команду мечты и как вообще нужно играть в футбол – хотя сам по мячу, скорее всего, не попадет из-за огромного живота. Все знают, как надо проводить судебные процессы и выносить приговоры, все знают, что такое правда и неправда, все блестяще разбираются в медицине и воспитании детей. То же самое касается политики. Почему-то политика попала в ту категорию областей человеческого знания, где все чувствуют себя профессионалами, невзирая на образование, опыт и прочие мелочи.

Почему именно эти области дают такой простор народному творчеству – вернее, самоуверенности людей, – сказать трудно. Никто же не судит так запросто о ядерной физике – для этого все-таки требуется специальное образование. Но есть области знания или практики, которые вызывают у людей в России уважение, а есть те, которые в глазах общества воспринимаются как нечто малосерьезное. И политика в силу многих причин является одной из таких областей. Что бы ни делали политики, люди все равно знают, как можно было сделать лучше.

На самом деле эта особенность российской культуры и российского менталитета – связанная, конечно, с историей формирования нашей публичной политики, – очень опасна. Она приводит к катастрофическому падению уровня профессионализма. Каждая кухарка уже сейчас знает, как управлять государством. Возьмите любого человека — бизнесмена, чиновника, кого угодно, — он без проблем может стать депутатом и будет принимать законы, невзирая на образование или отсутствие такового. Тот колоссальный уровень серости, который невооруженным взглядом виден в российской Думе и вообще во власти, связан главным образом с тем, что профессионалов там практически нет.

За много лет Дума практически полностью оторвалась от народа — потому что нас приучили выбирать не конкретных людей, а руководителей партий, людей, которые в партийном списке занимают первые места. Попал в правильную строку списка — считай, ты уже в парламенте. К мнению избирателей это не имеет никакого отношения. Многие депутаты, которые баллотировались в Думу в 2011 году, ни разу не бывали в своих избирательных округах. Фактически их туда назначили, а потом заставляли ездить и знакомиться с округом, чтобы они могли получить о нем хоть какое-то представление.

Но этот уровень непрофессионализма резко усиливает ответственность, лежащую на тех немногих профессионалах, которые все-таки есть во власти, включая лидера страны. Он вольно или невольно должен отвечать за колоссальное количество непрофессионалов, с которыми приходится иметь дело. Получается, что система не работает, потому что непрофессионалы не тянут, поэтому надо управлять всем из Кремля, следить за всем, а если еще прибавить сюда массовую нечестность, исторические традиции, непонимание роли государства и прочие факторы, то, хотим мы того или нет, но мы опять приходим к пресловутой железной руке, без которой Россией нельзя управлять.

Да, Россия – вождистская страна. Вся ее история, огромная территория, множество часовых поясов, враждебное окружение (Россия вообще чемпион мира по числу соседей, с которыми она граничит), культурное, языковое и религиозное разнообразие, – все привело к тому, что здесь сложилась лидерская система власти. Найти консенсус по большинству вопросов почти нереально, потому что люди очень разные – от Кавказа до Забайкалья, – и у них очень мало общего, за исключением фигуры лидера, который обычно превращается в политического идола – а потом его разбивают и ставят нового.

В этих условиях практически невозможно создать систему власти, которая выполняла бы функции, присущие власти в других государствах – в частности, работать «защитой от дурака», способствовать балансу интересов и поиску компромиссов. Если американская и большинство европейских систем власти сводятся к тому, что президент является политическим брокером, который увязывает интересы различных групп, находя более-менее приемлемое для всех решение, то есть его задача скорее менеджерская, то в России лидер должен не искать компромисс, а брать ответственность на себя и угадывать общественные настроения.

Те лидеры, которые брали на себя ответственность и попадали в фарватер общественного развития – таким был Иосиф Сталин в свое время или Владимир Путин сегодня, – сохраняли за собой репутацию сильных правителей. Были и те, кто говорил: «Можно так, а можно эдак; надо подумать и поразмыслить», – как Никита Хрущев, который никогда не принимал на себя основную ответственность, перекладывая ее то на Сталина, то на Политбюро, или Михаил Горбачев, который много говорил о компромиссах, консенсусах и ограниченных возможностях, но, несмотря на все хорошие идеи, оказался слабым лидером, потерявшим страну.

Таким образом, от качества лидера зависит качество властной системы. Ее политическая направленность зависит от того, авторитарен лидер или демократичен. Поэтому в принципе вся политическая борьба в России ведется не за создание системы, а за то, каким должен быть текущий лидер. Все пытаются напрямую на него воздействовать. Если в США, к примеру, никто не пытается воздействовать лично на Обаму – все лоббируют различные институты, – то в России идет лоббирование лично Путина. От того, как Путин воспримет ситуацию, зависит поведение страны. И это реальность, с которой мы работаем.

Трудно сказать, насколько стратегически верный путь выбрала оппозиция, говоря о необходимости строительства конкурентной политической системы с самого низа. Звучит это замечательно, но в условиях российских реалий, размера и разнообразности страны вызывает сомнения. Такой огромной страны с демократической системой управления никогда не существовало в истории. Россия, как мы уже говорили, — самая большая страна мира, а история показывает, что демократия более эффективно строилась и прививалась в странах более монолитных, если можно так выразиться. Канада или США в два раза меньше России по территории и расположены гораздо более компактно. Сравним хотя бы количество часовых поясов: в США их четыре, а в России девять.

Надо сказать, что в России не только не сложилась устойчивая система власти, но и по большому счету плохо складывается система в чем бы то ни было — будь то искусство, наука, политика, литература, экономика. Всюду мы видим примеры индивидуальных проектов отдельных людей, которые брали развитие в свои руки.

Фактически это пошло еще с Ивана Грозного, с избрания Романовых, и даже отмена крепостного права была личным делом императора Александра II. Революция 1917 года тоже во многом была индивидуальным проектом небольшой группы людей, да и события 1991 года стали по большому счету итогом личных действий сначала Горбачева, потом Ельцина, а потом уже управление процессом подхватили другие персонажи, от Чубайса до Гайдара. Думается, Россия в этом смысле не изменится — в обозримом будущем парадигма останется примерно той же.

Заметим, что принципиальные трудности российской власти состоят в том, что почему-то все требуют от нее быть по своей модели американской. В крайнем случае — усредненно-европейской. Почему-то все считают, что нормально — это «там». А ненормально — «здесь». Исходя из этого посыла, Россия всегда изгой и всегда действует неправильно — при этом, когда надо сломать хребет Гитлеру, на Россию вся надежда. Но дело в том, что категории «правильно-неправильно» здесь не подходят. Это просто такая модель, тесно завязанная на ментальность народа. Это специфическая система власти — не плохая и не хорошая, просто другая.

В мире существует несколько типов систем управления, нравится нам это или нет. В России лидер — в данный момент это Владимир Путин — принимает окончательные решения. Но по факту у него всегда есть свое «Политбюро». Просто, в отличие от того Политбюро, которое существовало в советское время и само решало все вопросы, у Путина их несколько, и они жестко рассредоточены. По ряду вопросов работает одно «Политбюро», по другому ряду вопросов – другое «Политбюро». Кто-то лучше разбирается в экономике, кто-то хорошо знаком с Западом, кто-то знает Украину, кто-то понимает ядерные проблемы, кто-то науку или искусство, и т.д.

Даже русские императоры всегда пытались приблизить к себе каких-то людей, которые могли бы им возразить, но не становились бы при этом «врагами народа» и не отправлялись в ссылку. Такие люди есть и в окружении Путина. Его подход здесь очень прост. Вот мои друзья. За экономику отвечает, условно говоря, Алексей Кудрин – с ним мы будем обсуждать экономику, но не будем обсуждать политику. Вот с этим человеком мы обсудим политику, но не будем обсуждать что-то другое. Вот эти вопросы можно обсуждать с Тимченко. Эти – с Ковальчуками. Эти – с Ротенбергами. Но если кто-то из них попытается зайти не на свою «поляну», ему будет сказано: «Это не к тебе».

Все это замечательно, просто и понятно – для Путина. Другое дело, что таким образом пропадает возможность появления новых элит. Когда состав «Политбюро» не меняется годами, то это уже вариант сродни привычке играть в парке в шахматы с одним и тем же партнером.

Можно, конечно, задаться вопросом о юридической легитимности. Однако в России понятие юридической легитимности всегда было вторичным. В этом плане можно напомнить, кстати,

Генри Киссинджера, который всегда любил повторять одно слово: *power*. Вот если у тебя есть *power*, у тебя будет любая легитимация. А если *power* отсутствует, то никакие крики о законах ни к чему не приведут. Обычно о несоблюдении законов кричат слабые – и им это ничуть не помогает.

Можно также начать рассуждать о том, как принятая в России система власти соответствует тому, что в мире называется демократией. Но что в мире называется демократией? Вот основная проблема. Произошла базовая трансформация термина, очень важная. Начнем с того, что греческое описание демократии не имеет ничего общего с тем, что называлось демократией в начале XX века, а в конце XX века понятие демократии окончательно превратилось всего лишь в описание избирательного процесса.

Простой вопрос: в Индии сейчас демократия? А в Японии? Не будем торопиться отвечать. Индия, где, по сути дела, сохранилась кастовая система, где существует огромное имущественное расслоение, страшная бедность и очень серьезные национальные проблемы, считается развитой демократической страной. В рейтингах демократии она стоит гораздо выше России и выше многих восточноевропейских стран – что, в общем-то, просто анекдотично. А что, если хорошенько подумать, можно сказать об Англии? Что такое английская демократия – в стране, где даже нет конституции?

Так что, строго говоря, нет смысла сетовать на «ручное управление» в России. Разве когда-нибудь было по-другому? Можно говорить о том, что Россия не готова к демократии или не является демократической страной, но эти вопросы непринципиальны, потому что Россия даже не мыслит в этих терминах. Строить демократию американского типа здесь в общем-то никто не собирается – по определению. России нужно эффективное государство – не обязательно сильное, но эффективное, – а его здесь видят в эффективности лидера. Пьющий Ельцин, нерешительный Горбачев или больной Брежнев не воспринимались как сильные лидеры, и государство стремительно теряло свою эффективность. Иными словами, эффективность лидера становится, пожалуй, важнейшим критерием эффективности всей системы.

Кстати, если посмотреть на историю царской России, там прослеживается та же тенденция: от того, как царь выполнял свою работу, от того, как он видел свою миссию, зависело практически все. Были цари и царицы, которые просто расслаблялись и жили в свое удовольствие, были те, кто брал на себя огромную ответственность и вел страну вперед. Иными словами, эта характеристика принципиально важна.

В этой связи попытки построить систему, базирующуюся на прямом волеизъявлении народа, наверное, не очень эффективны. И это одна из причин того, что оппозиция постоянно проигрывает. Как мы уже говорили, все российские партии, включая оппозиционные, построены по вождистскому принципу. Для оппозиции важен вопрос, как перейти от борьбы за власть с действующей властью к получению поддержки от народа — особенно если учесть, что народ в сложившихся условиях ничего от этой борьбы по большому счету не выигрывает. Возможно, оппозиция даже понимает, что на самом деле народ ей нужен только для того, чтобы на него опереться, а дальше строить такую же вождистскую систему.

Все антивластные организации в истории России, будь то декабристы, народовольцы или большевики, строились по вождистскому принципу. Ни одна структура не была демократической по своей сути, всегда делался упор на одного человека, его личные качества, героизм и ответственность. Декабристы в этом смысле — прекрасный пример: это небольшая группа людей, взявшая на себя задачу, условно говоря, повести страну в Европу. И боролись они не за изменение системы, а против таких же людей, стоявших на тот момент у власти. То же самое было характерно и для большевиков, такой же была и борьба Сталина с советской элитой или борьба Хрущева со сталинской группировкой.

Кстати говоря, при написании сталинского «Краткого курса истории ВКП(б)» была совершена фальсификация российской политической истории в особо крупных масштабах. Утверждалось, что партия Ленина, РСДРП, – это первая российская политическая партия. Как известно, РСДРП была создана в 1898 году, а в 1903-м разделилась на партии большевиков и меньшевиков. Однако и само слово «политика», и партийные организации появились в России гораздо раньше.

Политические организации существовали еще при Петре I. Их называли по-разному, пытаясь избежать обвинений в пересмотре «Краткого курса», говорили о дворцовых переворотах, кликах, группах, но на самом деле это были нормальные партии, которые боролись за власть с царем и между собой, и Россия в смысле политической культуры ничуть не отставала от Западной Европы, развиваясь примерно в тех же хронологических рамках, и монархия этому ничуть не мешала.

Отец одного из авторов этой книги, профессор истории МГУ им. М. В. Ломоносова, провел в свое время глубокое исследование этой темы. Он доказывал, что политические партии и политика в целом появились в России гораздо раньше, чем это утверждалось в традиционной советской историографии. Более того, еще в 1970-е годы он выдвинул и обосновал теорию о том, что привычные нам политические партии – это всего лишь конкретно-исторические формы политической организации и борьбы за власть, и они будут постепенно, но неизбежно трансформироваться, а то и вообще со временем уйдут в историю.

Конечно, во времена, когда господствовали догмы о РСДРП как первой партии в истории России и о постоянно возрастающей роли КПСС, подобные исторические взгляды, да еще высказываемые профессором МГУ, мягко говоря, не особенно приветствовались. Однако сегодня мировая политическая практика сама на деле доказывает правильность его тогдашних выводов.

Итак, в России никогда не было действенной оппозиции – при этом она всегда была очень нужна. Лидеры в большинстве своем понимали необходимость оппозиции для качества власти, но технологически не допускали ее существования, потому что лично им она по большому счету была без надобности. Исходя из этого, оппозиция постоянно загонялась в подполье, ее пресекали, сажали в тюрьмы и под домашние аресты, отсылали в лагеря, запрещали альтернативные СМИ. Но при таком раскладе власть неизбежно начинает делать ошибки – потому что некому сказать, в чем она неправа.

В этом смысле та атмосфера, которая периодически складывается вокруг Путина, выглядит не вполне здоровой – в том числе когда Совет Федерации единогласно поддерживает его решение по вопросу Украины, Дума это решение даже не обсуждает, а все государственные СМИ начинают автоматически транслировать одобрение позиции президента.

Мы уже говорили, что политика в России не подразумевает наличия политиков. Если в Америке политику делают политики, то здесь политика базируется на их отсутствии. Путину приходится одновременно играть роль и лидера страны, и лидера оппозиции, поэтому он периодически отбирает у себя свои же лозунги, меняя их на лозунги оппозиции, и зачастую поднимает такие вопросы, которые даже оппозиционеры опасались поднимать, по крайней мере в такой степени, в какой готов их поднять Путин, – то есть начинает играть сам с собой в кошки-мышки.

В этом еще одна особенность – и проблема – российской политической системы: власть зачастую играет за обе стороны, и оппозиции, и собственно власти. Нередко власть, может быть, невольно, становится источником проблемы – как в ситуации с Украиной, во многом вызванной, помимо прочих факторов, именно внешнеполитическими просчетами России. Как выйти из этого замкнутого круга и можно ли вообще это сделать? Ответа на этот вопрос пока нет. Но если выход пока не просматривается, то и Россия, и Запад должны научиться принимать ситуацию такой, какая она есть.

ВЫБОР ПУТИ

Украинские уроки

Кризис власти на Украине – это, по сути дела, отражение краха советского мира. Напомним читателям, что личная вина Михаила Горбачева – в том, что он, разрушив систему стран Варшавского договора и Совета экономической взаимопомощи, не добился получения в виде письменных международных конвенций тех гарантий, которые якобы давались устно, в частности, о нераспространении НАТО на восток. Похоже, что Джеймс Бейкер, занимавший пост госсекретаря США при президенте Джордже Буше-старшем, попросту обманул Горбачева.

Не возьмемся утверждать, что обман планировался с самого начала – по всей видимости, обе стороны действительно считали, что ситуация будет развиваться более-менее гармонично, – но когда появилась возможность не делать того, что было обещано, американцы этой возможностью воспользовались, благо никаких письменных гарантий не существовало. И их даже можно понять – если оппоненты столь глупы и верят на слово, почему бы их не развести еще раз?

История во многом повторилась 21 февраля 2014 года, когда Виктор Янукович и лидеры оппозиции подписали соглашение об урегулировании кризиса на Украине: ничего не было выполнено, Януковича выгнали, а люди, выступавшие гарантами соглашения – представители крупнейших европейских стран, – вдруг заявили, что они не гаранты, а свидетели, гарантом же является украинский народ. Что тут можно сказать? Только то, что, если разобраться, этот инцидент в принципе денонсирует всю систему международных отношений.

В течение послегорбачевского периода была заложена бомба под все мироустройство. Отношения между Россией и бывшими республиками напоминали и до сих пор напоминают отношения между бывшими супругами. Ни о каком нормальном диалоге и речи быть не может. Все это время в международном плане Россию постоянно унижали. Ей объясняли, что она недемократична, что она не так себя ведет. Ни одна страна мира не потерпела бы того, что, несмотря на любые договоренности, в ее «мягком подбрюшье» то и дело активизируются откровенно агрессивные, в данном случае – противороссийские силы. Когда Советский Союз единственный раз подошел к Кубе, Америка чуть не начала ядерную войну. Но при этом сами Соединенные Штаты позволяют себе, мягко говоря, очень многое.

Кто-то из американских политологов дал очень

точную формулировку ситуации: «Делайте, что мы говорим, но не ведите себя так, как мы себя ведем». Так вот, Америка позволяла себе ровно то, что ей позволяли делать другие. Но вдруг Россия сказала: «Мы не позволим». И возникает вопрос — готова ли Россия заплатить ту цену, которая может при этом от нее потребоваться?

Результаты референдума в Крыму вызвали бурную реакцию в самых широких слоях мировой общественности, причем спектр мнений варьирует от самого положительного до резко отрицательного. И тут надо сказать вот что. Следует четко понимать, что процесс распада СССР еще не завершен. Один из авторов этой книги предупреждал о подобном варианте уже давно и неоднократно прямо говорил о том, что передел мира продолжается. Четверть века — это слишком мало.

Империи распадаются долго и мучительно, особенно если они состояли из соседствующих территорий и перемешанного по множеству критериев населения. Многие административные границы носят неестественный характер и не совпадают с границами историческими, этническими, культурными, религиозными, экономическими. Границы внутри СССР носили прикладной политический характер, и сегодня они часто выглядят нелогично, противоречат реальности. Они не могут стать долгосрочной основой новой политической географии Евразии и неизбежно будут меняться.

Любой историк подтвердит, что государства не бывают вечными — они умирают, раздвигают границы, расширяются, сужаются, приобретают новые территории. В этом весь смысл изменения политической географии — оно происходит всегда. Постсоветское пространство — нестабильный регион с высокой степенью непредсказуемости и высокой долей политической импровизации. Здесь есть и еще долго будет оставаться вероятность появления новых государств и распад или изменение территории ряда нынешних.

Крым создал прецедент. Очевидно, что в том или ином виде многие захотят последовать этим путем, причем невозможно заранее предсказать, какие это будут территории, а события последнего времени в Европе дают основания полагать, что часть этих земель наверняка будет лежать за пределами границ бывшего СССР.

Кроме того, появилось ощущение, что возникла обратная тенденция, которая идет довольно любопытно. Похоже, что в ближайшие несколько лет вопрос распада или сохранения территориальной целостности стран будет зависеть от двух факторов. Первый — удастся ли на примере Украины найти средство от «оранжевых революций». Второй — экономический.

Возможности государства зачастую зависят от его экономической силы, и важно, какое направление развития экономики выберут страны, которые стремятся к объединению. Что сейчас подталкивает их к этому? Кардинальное различие принципов международного разделения труда, предложенных Западом и предложенных Россией.

Если следовать западной модели международного разделения труда, то Украине уготована участь *ничего*. Это просто место для газопровода, что для Украины, мягко говоря, не особенно приятно. Похожая дилемма встала перед Арменией, и ее президент Серж Саргсян объяснил, почему его страна выбирает Таможенный союз: это элементарные вопросы экономики. То же самое касается и Белоруссии, и то, что ее реальное объединение с Россией до сих пор не произошло, можно объяснить лишь отсутствием мудрости у политиков обеих стран. Гораздо больше вопросов возникает в ситуации с Казахстаном, Узбекистаном, Таджикистаном. Здесь конкуренция существенно тяжелее — в дело вступают китайское и арабское влияние.

Экономика неоднократно играла свою роль в развале и падении некогда крепко стоящих на ногах государств. Экономический фактор создал предпосылки для распада Советского Союза, а если обратиться к более давней истории, то и для краха Российской империи. Ведь нельзя сказать, что революционное движение достигло своего апогея в 1917 году. Оно было гораздо сильнее и мощнее в XIX веке — с бомбистами, с эсерами, с народовольцами — и во время первой революции.

Но тогда империя была достаточно сильна экономически. И только когда она уже оказалась абсолютно обессиленной, деморализованной, истощенной – началась Февральская революция.

Столь же часто экономика становится причиной объединения стран, образования федераций, а то и унитарных государств. Какая тенденция будет преобладать в ближайшем будущем – покажет время.

Важно помнить еще и о том, что не только экономическими причинами объясняются сложные геополитические процессы. Распад СССР, распад Югославии, объединение Германии во многом базировались на культурных, исторических, языковых факторах, религиозных обидах, разнице менталитетов. В конце концов, Советский Союз распался по этническим границам, а не экономическим. В противном случае мы имели бы сейчас совсем другую карту постсоветского пространства, где Украина была бы частью российской территории, потому что нам выгоднее быть вместе, а Запад Украины никогда бы не пытался отмежеваться от Востока, потому что экономически он сильно зависит от него.

Однако сепаратистские настроения на Украине явно прослеживались даже в советское время, когда экономика республики была очень сильна, именно в силу разницы в менталитете людей. Экономика может обострить ситуацию, но психология, общая история, общая культура объединяют (или разъединяют) государство не менее эффективно.

Интересно, как ситуация с Украиной будет развиваться дальше. Уже нет сомнений, что это совершенно новая реальность политической жизни и притом колоссальная головная боль для всей Европы. В отличие от всех остальных стран бывшего соцлагеря, с которыми Америке и Европе уже приходилось иметь дело, Украина единственная, которая имеет потенциал для собственного атомного оружия, причем восстановление этого потенциала не займет много времени. А здесь возникает вопрос: готова ли Европа к тому, что в самом ее центре окажется государство с очень недружественной идеологией?

Ее сейчас выгодно не замечать, но ведь не надо забывать и об огромном количестве антипольской риторики, не говоря уже об антисемитской. Если у нищего государства — а очевидно, что еще в течение долгого периода времени Украина будет балансировать на грани экономического выживания, — есть атомное оружие, то кто захочет с этим мириться?

Неизбежно встанет вопрос об отказе от внеблокового статуса и начнутся попытки втянуть Украину в тот или иной блок — в данном случае, вероятнее всего, в НАТО. При этом украинская элита, очевидно настроенная реваншистски после потери Крыма, будет пытаться найти варианты выгодного торга. Трудно сказать, смирится она с потерей или нет, но винить в случившемся некого — нет человека, который был бы персонально ответственен за все произошедшее. Хотя для удобства можно все свалить на Януковича.

Новый стратегический вызов, с которым столкнулись в первую очередь Америка и Европа, означает, что весь новый миропорядок, который на Западе виделся в совершенно однозначном аспекте на протяжении всего постсоветского периода, теперь придется категорически пересматривать в свете развития украинской ситуации. Можно предположить, что подобных вариантов там никто не предусмотрел.

Перед Америкой с самого начала встала большая и сложная задача: как реагировать на поведение Крыма? Начать с того, что впервые они абсолютно не просчитали ситуацию. Это был провал и разведки, и экспертного сообщества, и интеллектуального сообщества. Один из авторов в силу своих профессиональных обязанностей постоянно мониторит западную аналитику — очень хорошую, качественную, — и до самого последнего момента там не было видно даже малейших намеков на то, как реально развернулись события. Хотя, казалось бы, крымчане действовали совершенно однозначно, председатель Верховной Рады Крыма Владимир Константинов сразу объявил, что полуостров хочет войти в состав России.

Возможно, американцы считали, что это блеф. Возможно, их смущала ситуация с Осетией и Абхазией, которые хотели в Россию не меньше, но так и не получили билетика – по крайней мере, до сегодняшнего дня. Хотя прецедент, в принципе, можно было создать и там. По всей видимости, в Соединенных Штатах думали, что Россия затормозит на том же уровне и с Крымом – пусть это будет псевдосамостоятельное государство, но в состав РФ мы его включать ни в коем случае не будем. Но очень быстро стало ясно, что Россия не собирается останавливаться на таком сценарии.

Здесь важно и то, что, как ни странно, Запад сегодня гораздо в меньшей степени может воспрепятствовать российским шагам по сравнению, например, с 2008 годом. Мировая ситуация изменилась, экономический кризис изменил подходы к глобальной политике. Из кризиса западные страны вышли, но вот шапкозакидательского настроения уже нет – все опасаются любых резких движений. Даже попытки Обамы всерьез начать экономические санкции против России вызывают крайне резкую реакцию в американском обществе, в первую очередь в элите.

При этом надо четко понимать, что ситуация вокруг Украины вновь отодвинула идею ядерного разоружения, и, по всей видимости, на довольно долгий срок. Потому что если бы ядерного оружия не было, то, что произошло в Крыму, однозначно послужило бы сигналом к началу войны. Более того, если бы Украина оставалась ядерной державой, все сложилось бы совсем по-другому. Даже в случае небольших стран с весьма скромным запасом ядерного оружия, вроде Северной Кореи, никто даже не ставит вопрос, например, о военном перевороте. Слишком велик риск.

Заметим, что действующие украинские власти проявили феноменальный уровень политической глупости и близорукости. Только им удалось с трудом успокоить общественность, взбудораженную законом о русском языке, пообещав, что его не будут принимать, как тут же были внесены два законопроекта: первый — о немедленном вхождении в НАТО и расторжении договора с российским флотом, и второй — о запрете деятельности Партии регионов и Коммунистической партии Украины. Затем выдали ордер на арест Владимира Константинова, Сергея Аксенова и присягнувшего России контр-адмирала Березовского. Арестовали в Донецке избранного народом губернатора Павла Губарева.

По большому счету, крымчан и всех остальных, кто был не согласен с текущей политикой, загнали в очень жесткие условия. К тому же вскоре выяснилось, что не случайно «вежливые вооруженные люди» приезжали в симферопольский аэропорт — там состоялась беседа с представителями киевской «Альфы», которые прилетели на самолете. Перед вылетом люди из «Альфы» спросили, в чем их задача, и им сказали, что с задачей они ознакомятся на месте. По прилете им сообщили, что они должны разоружить «Беркут» на их базе, на что командир «Альфы» ответил: «Вы с ума сошли? Я даже из самолета не выйду. Мы возвращаемся». И вернулся. И это стало очень заметным сигналом крымским властям.

Складывается впечатление, что сегодняшнее украинское руководство действительно живет в каком-то своем параллельном мире, не понимая, что их целевая аудитория — это отнюдь не только и не столько майдан, а совсем другие люди. Они вышли в другую лигу — и там, к сожалению, совершенно не тянут. Да, они на каком-то этапе могли быть лидерами на майдане, но это уже в прошлом. Так всегда бывает, когда команда, игравшая в первой лиге и привыкшая там быть победителем, выходит в высшую лигу. Неожиданно оказывается, что класс игры не тот, не те скорости, не та слаженность команды. И новые власти Украины стали делать ошибку за ошибкой, даже там, где это было в принципе не обязательно.

Строго говоря, их задача была вообще другой — идти на Восток и Юго-Восток, успокаивать, разговаривать. Они должны были в первую очередь разоружить «Правый сектор», заставить их публично отказаться от всей националистической риторики, убрать свастики. Нужно было идти на диалог с регионами, а не посылать «поезда дружбы» и не пытаться никого арестовывать.

Нынешние киевские власти сделали большой просчет, не только отвратив от себя ту часть народа, которая воспринимала их скептически уже во время переворота, но даже не сделав попытки привлечь людей на свою сторону. С одной стороны, и отказ от попытки создать правительство национального согласия, как бы оно ни называлось, и первые законопроекты можно списать на некий революционный запал — ведь и матросы в 1917 году громили Зимний, всякое бывало, глупости делались. Но, во-первых, время шло, а здравый смысл так и не просыпался; во-вторых, 2014-й — это не 1917-й, уровень западного интеллектуального, политического, технологического воздействия на политику, в том числе мировую, сегодня уже совсем другой. Нельзя, придя к власти в Киеве, в европейском городе, делать такие примитивные ошибки.

Но ошибки были сделаны, и теперь новые украинские власти за них расплачиваются. Они потеряли ту часть народа, которая даже если и не поддерживала их, то по крайней мере не выступала агрессивно против. Своими непродуманными действиями, первыми шагами, первыми законопроектами, предложенными Украине, они вызвали у людей сильное раздражение, и не заметно, чтобы они хоть что-то реально этим выиграли. Как-то странно даже развенчивать теорию, согласно которой они всего лишь куклы, а кукловоды сидят где-то еще, — потому что такой вульгарной, примитивной послереволюционной политики просто нельзя было ожидать.

Даже в странах гораздо менее продвинутых,

типа Египта или Туниса, где состоялась «Арабская весна», первые шаги пришедших к власти людей были качественно иными. Честно говоря, абсолютно понятно, почему власти и народ Крыма с такой скоростью проголосовали за Россию.

В этом, кстати, и заключается проблема. Есть ощущение, что это, в частности, позиция, которую намного лучше понимают в Европе, чем в США. Во многих статьях серьезных аналитиков прослеживается мысль, что если бы мы таким образом попытались присоединить Донбасс, Запорожье или Харьков, то реакция была бы совершенно иной. Но когда речь заходит о Крыме, сквозит понимание, что на самом деле все неоднозначно, тем более что проживают в Крыму преимущественно русские, их около полутора миллионов, и до присоединения полуострова к Украине собственно украинцев там и не было. Мало их и сейчас. Были крымские татары, которые по сей день составляют значительный процент населения.

По большому счету, технологически процесс присоединения Крыма мало чем должен отличаться от воссоединения Германии или – гипотетически – Кореи. Россия возвращает себе часть земли, которая в силу разных причин оказалась от нее отторгнута, то есть исправляет ошибку Хрущева и недосмотр Ельцина. Крымскую проблему могли решить в Беловежской Пуще одним росчерком пера, восстановив исходную ситуацию. О полуострове в тот момент просто не подумали.

И в этом, кажется, одна из причин, почему, в частности, американский истеблишмент не сразу решил бряцать оружием. Конечно, мы не знаем, как он будет себя вести к моменту выхода книги. Однако на момент ее написания американская элита, условно говоря, чесала в затылке, понимая, что расклад тут непростой и даже с законной точки зрения есть множество зацепок, доказывающих, что Россия действует вполне в тренде, и по крайней мере абсолютно нелегальными ее действия называть нельзя. В принципе, все происходящее находится в зоне «серого» законодательства. Тем более что воссоединение разделенных народов является одной из главных задач в мировой политике.

Империя: Прошлое и будущее

В последнее время часто слышны разговоры о том, что Путин взялся за восстановление империи. Имперцы типа Александра Проханова с разной степенью одобрения поддерживают его именно в этом, хотя и критикуют за нерешительность. Но является ли все-таки Россия империей? И что такое империя в XXI веке? Привычное определение колониальной империи, умершей как модель после Второй мировой войны, подразумевает, что жители метрополии в огромном количестве едут на те территории, которые становятся новыми частями империи, и меняют там жизнь. Англичане массово ехали в Индию, голландцы – в Новую Зеландию и Индонезию, но сегодня этого не происходит.

Несколько лет назад один из авторов этой книги, проанализировав логику событий после распада Советского Союза, сформулировал концепцию, суть которой сводилась к тому, что в мире больше нет ни одной страны, которая могла бы навязать свою повестку дня всему мировому сообществу. Ни Америка, ни Россия, ни Китай этого не могут. Страны собираются в союзы, чтобы сообща решать экономические и политические задачи, – это и Евросоюз, и Таможенный союз, и зона свободной торговли НАФТА. Многие экономисты считают, что лет через 20 в мире останется только 3–6 крупных валют, а мелкие постепенно исчезнут в результате глобализации.

Уже сейчас несколько десятков корпораций, от *Microsoft* до «Газпрома», по сути дела рулят миром. Национальные правительства теряют контроль над экономикой, но это не означает усиления раздробленности – работают глобальные деньги и глобальные корпорации. Государство теряет контроль над телекоммуникационными сетями – в той же Америке шесть главных информационных компаний принадлежат иностранному капиталу, от Мердока до японцев, и не являются по большому счету американской собственностью.

Если Россия строит империю, причем строит ее с ощущением себя как центра славянского мира, не означает ли это, что ее действия лежат в традициях XIX века? О каком славянском мире может идти речь, если Украина уже потеряна, а те же братья-болгары в каждой войне воевали против России? Да, о России вспоминают, когда у очередной славянской страны начинаются проблемы, Россия, исходя из своей мессианской парадигмы, всех спасает, после чего эти «братья» поворачиваются, ней задом и ей стоит огромного труда уговорить их хотя бы одним глазком посмотреть обратно, подумать о вступлении в общее экономическое пространство, не говоря уже о политическом влиянии. Даже беспомощная Белоруссия, у которой очень слабая экономика, всячески демонстрирует свою самостоятельность и, как бы ни умолял ее Кремль, так и не признала, например, ни Абхазию, ни Осетию. Да и в конфликте с Украиной тот же Лукашенко не выразил внятного понимания российской позиции.

Сразу подтвердим, что Путин действительно строит империю. Он не может ее не строить. Империя — это всегда потенциал и сверхзадача. Это некое великое прошлое, опираясь на которое, пытаются достичь великого будущего. Размер страны тоже имеет значение, но первичны именно так называемые имперские амбиции, самоощущение, самооценка.

В этом смысле Россия, конечно, империя. Достаточно уже того, что имеются внешние по отношению к метрополии земли, которые воспринимаются как наши отдаленные территории, — к ним можно отнести даже номинально российские регионы, такие как Северный Кавказ. Это ощущение империи включает в широком понимании весь русскоговорящий мир и практически все постсоветское пространство. Все это мы воспринимаем как часть себя.

Политически это означает, что внутренне нам все время кажется, будто мы обладаем гораздо большим размером и потенциалом, чем на самом деле, — так прямые наследники некогда богатого и могущественного, но на данный момент обветшавшего и обедневшего аристократического рода продолжают потрясать фамильным оружием и говорить: «Я здесь! Я воин! Я император!»

Можно назвать это самообманом. Что поделать, внутренние дефиниции — всегда самообман. Но можно назвать это и по-другому: прогнозирование великого будущего. Реальность такова, что великое будущее России может быть только имперским. Она не может рассчитывать на великое будущее в виде скромной и тихой европейской страны — для нее это вообще не будущее, а поражение.

Когда у тебя есть великое прошлое, ему приходится соответствовать. Ты не можешь быть наследником великого дворянского рода, а закончить пьющим дворником — у тебя есть обязательства перед прошлым. У России имперское прошлое, и поэтому она видит для себя ренессанс только в имперском сознании.

Но дело не только в прошлом – в конце концов, множество европейских стран были когда-то центрами империй, а сейчас и не помышляют о реванше. Но, как мы уже говорили, русское сознание – не мещанское, а героическое. В этом наша сила и наша слабость. Русскому человеку неинтересно каждый день ходить на работу и долго и нудно вкалывать. Проще один раз навалиться скопом и свернуть гору. Кто у нас всегда делал рутинную работу? Немцы. Даже в классической литературе персонажи, которые занимаются рутиной, всегда нерусские – вспомним тургеневского Штольца.

Ощущение империи живо в российской политической культуре, истории, менталитете. Оно никуда не пропадало. И то, что Путин сегодня делает во внешней политике, по сути адекватно этому ощущению. Путин строит империю нового типа – постсоветскую. И дело тут совершенно не в размере. Большая страна – это еще не империя. Австралия или Канада – большие по территории страны, но никаких сверхзадач перед собой они не ставят, а потому и империями не являются.

Кроме того, в современном мире мессианское сознание не может не быть имперским. И это понимает любой человек – тем более когда мессианское сознание у него не врожденное, а приобретенное, – который оказывается на кремлевском троне. Дальше вопросов уже нет. Другое дело, что масштаб личности может не соответствовать вызову – и кого-то этот вызов ломает, а кого-то, наоборот, сподвигает на великие дела.

Почему Путин успешен? Потому что он попадает в имперские ожидания. Для правителя важно следовать за ожиданиями народа – или сломать его, создав новые элиты. Для этого нужно сначала сломать элиты уже имеющиеся, а это значит, что правитель должен покорить народ своей колоссальной жестокостью – как было в случае Петра I или Ивана Грозного.

Павел I потерпел крах в своих начинаниях, потому что не сломал элиты, – они восстали против него, устроив скорую и жестокую физическую расправу, а народ вообще не понял, чего хотел самодержец. А Павел как раз хотел отойти от имперского пути и превратить Россию в уютную Пруссию.

Подобные случаи бывали в российской истории еще несколько раз. Судьбу Павла можно считать предупреждением всем, кто пытается свернуть с имперского пути, – эта махина все равно догонит и перемелет. В частности, именно это и произошло с Горбачевым. Напротив, Путин – по крайней мере, пока – интуитивно очень четко следует требуемому курсу, проводит имперскую политику, опираясь на исторические традиции и запрос со стороны собственного народа.

Постараемся определить, что такое империя в XXI веке и ради чего она ведет себя как империя – ради самоощущения своих граждан, или же эта страна просто не может жить по-другому? Самоощущение очень важно, но важно и то, что о тебе думает весь остальной мир. В лице России и США мы имеем две империи – если, конечно, мы решим считать эти страны империями, – совершенно непохожие друг на друга, фактически зеркально противоположные.

Одна зациклена на себе, но при этом имеет свои широкие национальные интересы, которые реализуются через элиту и совершенно не волнуют среднего обывателя; вторая направлена вовне и в принципе готова терпеть внутри страны любую коррупцию, лишь бы глобальное влияние и роль России в мире были оценены. Например, подавляющее большинство россиян беспокоятся из-за событий в Сирии или Ливии, при этом их совершенно не волнует то, что делается на их собственной улице. Наоборот, каждый американец страшно озабочен тем, что происходит на его улице, в его избирательном или школьном округе, а то, что происходит в мире, волнует его гораздо меньше.

В плане самоощущения американец очень самодостаточен. Сирия или Ливия для него неважна. Золотое правило американской политики и психологии: «вся политика – местная». С точки зрения своего общества Америка вообще не должна быть империей – у нее полно внутренних проблем. Простому американцу, живущему в глубинке, по большому счету абсолютно наплевать на то, сколько народу в мире говорит по-английски.

При этом Америка активно борется за свой национальный интерес. Большая страна – большие интересы. Для обывателя такая логика более понятна, чем «нам это в принципе не нужно, но мы это делаем, потому что мы империя». Имперское поведение хорошо прослеживается в основном у внешнеполитической элиты, которых максимум 20 тысяч человек.

Американская внешнеполитическая элита во многом чувствует себя как советская – в том смысле, что, поскольку простому американцу внешняя политика неинтересна и денег особых там нет, в обществе нет запроса на контроль над внешней политикой США. Поэтому они могут делать в мире все что хотят, и у себя в стране с них за это никто не спросит – в отличие от внутренней политики, которая контролируется гражданскими организациями со всех сторон. По крайней мере, до тех пор, пока в результате тех или иных внешнеполитических решений этой элиты в каком-то штате или городе не начнет вдруг расти безработица, не станут сокращаться инвестиции и дотации, туда не начнут приходить цинковые гробы с погибшими на чужбине жителями этого города или штата. Тогда внешняя политика для простого американца превращается в политику внутреннюю – и начинается жесткий и тщательный спрос с тех, кто принимал эти решения. В России все с точностью до наоборот – никто не спросит за то, что какой-нибудь бабушке не выплатили пенсию, но за Украину придется держать ответ.

Если посмотреть на структуру общества в России и США, можно увидеть, что среди американских гражданских организаций очень мало таких, которые занимаются продвижением чего-либо за рубежом, по сравнению с организациями, решающими чисто внутренние проблемы, будь то домашнее насилие, равенство в семье или контроль над бюджетными расходами. Таких сотни тысяч. А тех, которые заняты внешними отношениями, – десятки.

Не то в России: огромное количество неправительственных организаций занимаются решением глобальных проблем, при этом с трудом можно найти такую, которая поставила бы своей целью решение чисто бытовых проблем и противостояла государству на уровне, скажем, собеса. Если же организации подобного типа появляются, они воспринимаются большинством населения как непонятные фрики, расхаживающие по улицам с флагами и что-то требующие от чиновников местного уровня.

Тем не менее не стоит обманываться и принимать самоощущение рядовых американцев за своего рода комплекс жителей большого, но провинциального государства на задворках мира. Американцу безразлично то, что происходит за пределами его страны, по совершенно другой причине. По большому счету, он просто убежден, что там, за рубежом, нет ничего, стоящего внимания. В этом как раз особенность имперского мышления – ты центр земли, ты ее пуп, а все, что происходит за пределами империи, ничтожно.

Не то чтобы американцы не считали себя равными другим – они просто в глубине души не уверены, что эти другие есть. Именно поэтому они так сконцентрированы на делах внутри своей страны. Америка искренне убеждена, что есть она – и где-то там остальной мир. Точно так же в этом была убеждена Римская империя, да и Британская. Римляне сидели в Риме, англичане наслаждались Лондоном, – а их национальные интересы отвоевывали специально обученные люди, зачастую имеющие мало отношения к метрополии.

Русские тоже абсолютно убеждены в том, что они – соль земли, и живое внимание к мировым событиям на самом деле ограничивается лишь теми сферами, где затронуты национальные интересы. А что касается языка – ну так по большому счету «настоящий язык» только один. И в нем прекрасно отразилась особенность мышления русского человека со стародавних времен – кто не говорит по-русски, тот немец, «немой». Повторим, что это одно из отличий имперского менталитета – ощущение своего превосходства. Китайцы в период расцвета своей империи ощущали себя точно так же – они вообще не подозревали о существовании других. Есть великая Поднебесная – а там, за пределами, копошатся какие-то варвары.

У каждой системы, политической или экономической, есть пределы управляемости. Россия сейчас является самым большим по территории государством мира с неимоверным количеством часовых поясов, разнообразными географическими, климатическими и прочими условиями, а добавление Крыма, который сам по себе достаточно велик, ставит вопрос об управляемости всей этой разнообразной территории. Более того, Россия и так испытывает дисбаланс территории и численности населения. Это слабозаселенная, большая и очень неравномерно развитая страна.

В свое время именно разреженность населения привела Россию к абсолютизму – одной из причин его установления была слабая связь между разными частями страны, необходимость контролировать, где твои солдаты или призывники находятся в каждый момент времени. Последнее, кстати говоря, стало потом важной причиной многовековой крепостной зависимости. Идея заключалась в том, что власти должны были знать, где находятся люди, на случай внешней опасности. Как их собрать? Отсюда и привязанность к конкретным деревням, которая потом закончилась сталинским отказом дать паспорта крестьянам, потому что люди должны быть на месте и всегда доступны государству. Отсюда и советская прописка. Даже само слово не имеет перевода на английский.

В малых странах такой проблемы нет, там все на виду – вспомним, как Гамлет выходил на балкон и смотрел, все ли в порядке в датском королевстве. А тут смотри не смотри – все равно ничего не увидишь. Как шутили в СССР: самое высокое здание в стране – это здание КГБ на площади Дзержинского (теперь – Лубянка), именно потому, что оттуда хорошо видна Колыма. Всегда проблемой России была необходимость защищать огромную территорию сравнительно небольшим количеством людей, и при этом не нанести вред экономике. Нельзя изъять слишком много рабочих рук из экономики и послать их на защиту границ или, условно говоря, национальных интересов, потому что людей на все не хватает. И эта дилемма в России ни разу не была решена.

Каждая система, как известно, сильна настолько, насколько сильна ее самая слабая часть. Россия толком не создала региональную систему управления – взять Дальний Восток или то, что происходит на Кавказе. Мы в принципе не очень хорошо понимаем, как управляется Кавказ или этнические республики Поволжья. А после референдума в Крыму добавляется еще один серьезный кусок с очень своеобразным политическим и культурным наследством. Присоединение обширной крымской территории с очень, в принципе, небольшим населением может поставить вопрос об эффективности политической и управленческой системы, существующей в России, – не достигнет ли она предела своего количественного развития?

Империя должна распространять свое влияние на внешние территории. И осуществляться это распространение может по-разному. Раньше это достигалось, как мы уже говорили, физически – жители метрополии ехали в провинции и несли туда имперское влияние. Но времена изменились. Управляемость стала принципиально иной. В век информационных технологий нет необходимости физически, лично куда-то приезжать – ни для перевозки капитала, чтобы распространить свое финансовое влияние куда угодно, ни для перевозки идей. Более того, люди как раз стремятся в империю, как делали это испокон веков. Там бурлит настоящая жизнь, а имперская столица – это центр мира, место, куда стремятся и жители метрополий, и дальние племена, малые и большие.

К тому же, в случае чего, аудиовизуальные системы позволяют с высокой степенью точности знать нахождение каждого солдата, каждого танка, как и степень их функциональной и боевой готовности. Многочисленные «революции Шарпа», проведенные за последние годы в разных странах, – это как раз проявление империи, ее наступление. С другой стороны, русские деньги работают по всему миру, влияя на экономики многих стран. Без русских денег, русской нефти, русского титана уже давно невозможно существование многих вещей, и это тоже имперская экспансия, помимо того, что ментально Россия до сих пор представляет собой ядро славянского мира.

То, что мы сейчас живем – и это необходимо понимать – в совершенно новое, переходное время, проявляется в изменении подхода к принятию решений и сбору информации. Ограничение сегодня лежит совсем не в методах получения данных. Проблема поднялась на следующий уровень – как эти данные обработать. Разве можно предположить, что, например, Соединенные Штаты Америки не имели полной картины всего происходящего на Украине и вокруг нее? Конечно, имели. Но, как мы уже сказали, не смогли провести корректный анализ и сделать правильные выводы. Не смогли очистить важные данные от информационного мусора.

Тонкость в том, что ни один компьютер этого сделать не может – тут нужен человек. Именно это и есть аналитика, которая сейчас является основополагающим фактором политического процесса. Если угодно, окончательные решения, которые влияют на развитие событий, всегда базируются на сильной аналитике, и президент или иной человек, принимающий решения, должен определять тот круг аналитиков, которым он доверяет, – тем более что что неизбежно накапливается некая статистика по принятию решений.

Ключевой критерий аналитики сегодняшнего дня – насколько люди, которые ею занимаются, чувствуют движение времени. Сама по себе аналитика не бывает старой или новой – она бывает хорошей или плохой для текущих условий. Есть мнение, что в сегодняшней аналитике важна креативность – это так, но до известного предела. Аналитики – это не маркетологи, не молодые люди с бредовыми идеями. Это совсем другой народ. И когда ты начинаешь пристально наблюдать за развитием исторического процесса, который разворачивается на твоих глазах, то понимаешь, что новые методы сбора информации не меняют старых мотиваций при принятии политических решений.

Есть две вещи в истории человечества, которые не меняются никогда, но люди плохо учат опыт: секс и политика. От обезьян до человека современного ничего по большому счету не изменилось. И ошибка многих аналитиков в том, что они, увлекаясь технологиями, пропускают момент оформления глобальных исторических тенденций.

Внимательно посмотрите на то, что происходило на Украине, и вы убедитесь, насколько это напоминает привычный уже сценарий, по которому развивалась гражданская война в том же Таджикистане. И вдруг этот сценарий стали ломать. Почему? Потому что учли прошлый опыт. Не стали рассматривать конкретную ситуацию как уникальную, как это часто делают молодые люди, когда говорят: «А, ладно, что вы нам тут рассказываете, никакого исторического опыта нет, это все сказки. Каждое поколение проживает свою историю, у нас сейчас все по-другому». Потом с ужасом выясняют, что ничего подобного.

История крайне жестоко заставляет себя изучать. Никакого «все по-другому» нет. И то, что принято называть экономическим детерминизмом, во многом будет определять дальнейшее развитие и Европы, и, в частности, Украины. Можно радоваться на весь мир и громко заявлять, что все хорошо и все под контролем, но когда у тебя дыры в штанах, тебя рано или поздно догонят. Ты можешь быть замечательным, идеологически правильным, но если люди у тебя в стране не едят, они тебя на штыках вынесут. Уж насколько идеологически безупречен был Сальвадор Альенде, просто человек-легенда! Но его вынесли «на счет раз», как только людям стало нечего есть. А потом оказалось, что Пиночет решил все накопившиеся проблемы гораздо эффективнее. При всей кошмарности его первых шагов, как кризисный менеджер он оказался сильнее.

Сейчас в мире сталкиваются две идеологии. Почему Путин предложил свою идею? Чтобы противопоставить ее американской имперской идеологии, которую продвигают через якобы демократию и либертарианские идеалы, во многом противоречащие идеалам христианства, подтягивая все больше стран в зону влияния США. Технически все это осуществляется по одному плану: уничтожается единое государство, и на его месте появляется энное количество мелких стран с сильно провисшей экономикой.

Мы это наблюдаем с 1991 года: на месте СССР появилось 17 государств (притом Россия все равно слишком велика), Югославия раздроблена, Египет и Ливия фактически разорваны на провинции, Сирия почти перестала существовать. Мы видим, что осуществляется идея, высказанная в свое время нынешним президентом Израиля Шимоном Пересом: относительно крупные арабские государства будут распадаться – действительно, Ирак сейчас фактически дезинтегрирован, Афганистан тоже, и это только начало, – на их месте остается множество карликовых стран, после чего такое по сути небольшое государство, как Израиль, за счет технологического превосходства становится региональной сверхдержавой. Но важно то, что и они находятся в сфере влияния одной глобальной сверхдержавы.

Иными словами, происходит выстраивание американской политики за счет уничтожения альтернативных центров силы. Эта же система сейчас работает по отношению к двум оставшимся потенциальным центрам силы – Китаю и России. Именно поэтому возник украинский вопрос – для части элиты США очень важно создать в западноевропейской экономике черную дыру.

Россия меняет курс

Возникает очень большой цивилизационный вопрос. В течение первого и второго президентского срока Владимир Путин очень много говорил и очень активно действовал в рамках парадигмы, согласно которой Россия является частью глобальной цивилизации. Потом этот курс продолжил Дмитрий Медведев, и Путин его поддерживал. Вообще Путин сотни раз говорил, что Россия – часть Европы, что у нас общие корни, общая цивилизация, общие ценности, что не надо между нами вбивать клин, и все разговоры европейцев о визах и тому подобном – всего лишь политическая демагогия, русские – это европейцы, вместе мы представляем, по большому счету, одну огромную европейско-атлантическую цивилизацию. Путин действовал в парадигме большого взаимного интеграционного проекта. Сегодня этот проект рухнул.

Когда Россию принимали в «Большую восьмерку», подразумевалось, что она будет постепенно подтягиваться по своим ценностям к остальной «семерке» и станет полноценным членом G8 через какое-то время. Это был стимул для России. Но многие американцы сегодня едины во мнении, что это решение было ошибкой, потому что Россия, вступив в «Большую восьмерку», восприняла это не как стимул, а как оценку уже имеющихся у нее достижений. А это было совсем не так – Россию приняли авансом, как говорят сейчас американцы и европейцы. Как бы там ни было, это тем более подчеркивает сложившуюся нынче ситуацию.

И вдруг, придя на третий срок к власти, победив на выборах в 2012 году, Путин неожиданно начинает говорить, что ценности у России другие. Что Европа – это загнивающий, отстающий, не понимающий, что к чему, континент, умирающая культура, как и Америка, попавшая в руки разнообразнейших меньшинств и ультралибералов. Европейцы с американцами недоумевают и пытаются понять – а где Путин говорил правду? По большому счету в западных странах особо ничего не изменилось, просто о том, как они на самом деле живут, стали больше знать в России. Так Россия – страна общих ценностей с Европой или нет? Путин говорит «нет». Тогда возникает вопрос – что Россия делает в «Большой восьмерке», если она не является частью европейской цивилизации?

События в Крыму, как известно, привели к краху всего формата G8. Он как бы пока распался на G7 и G1. Очевидно, что ущерб от этого понесут обе стороны – ведь утеряна еще одна площадка взаимодействия Запада и России. Их и так традиционно было очень мало, а сейчас стало еще меньше. Непонятна теперь и судьба «Большой двадцатки». В сегодняшнем мире, где сторонам трудно не только понять взаимную логику, но хотя бы услышать аргументы друг друга, сужать возможности для общения по меньшей мере неразумно. И Запад, и Россия должны осознавать свою ответственность за международный мир, достичь которого невозможно без диалога и взаимопонимания. Тут уже не до разницы в идеологиях или ценностях. Необходимо не разбрасываться уже имеющимися возможностями, а активно искать новые. Возможно ли это сегодня и каким образом? В условиях расхождения ценностных ориентиров именно этот вопрос должен стать важной заботой национальных элит обеих сторон.

Итак, мы видим, что цивилизационный курс России радикально меняется. Россия уходит от Европы. Предположим на минутку даже, что Европа плохая – не в ней сейчас дело. Но куда идет Россия? Она отворачивается от глобальных трендов – но тогда она перестает быть частью этих глобальных трендов и остается на политической обочине. Или она чувствует себя в состоянии задать новый глобальный тренд? Тогда это действительно великая историческая миссия.

Советский Союз в лучшие свои времена пытался создать этот новый глобальный тренд и рухнул, не справившись с задачей. Когда сегодня Путин ставит вопрос о новом глобальном тренде, который Россия готова предложить миру, он говорит искренне – или просто использует противоречия в ценностях, чтобы как-то отдалить Россию от Европы и тем самым укрепить свою власть? Эдакий мягкий железный занавес – ценностный.

И этот вопрос на самом деле очень важен, гораздо важнее самих ценностей. Вопрос цивилизационного выбора Путина – куда он ведет Россию. Если взаимный интеграционный проект России и Европы, Америки, даже Китая – несмотря на то что там действительно совсем другие ценности – провалился и Россия заявляет, что у нее будет своя система ценностей, тогда эта страна становится кошкой, которая гуляет сама по себе, вещью в себе, аксеновским «островом Крым».

Россия раз за разом натыкается на один большой вопрос – вопрос своего исторического выбора. Почему Бог или судьба каждый раз ставят ее перед этим выбором? Ведь другие страны этот вопрос не мучает. Может, у Бога есть какие-то планы в отношении России? Может, это наш крест? Или, наоборот, это наша историческая миссия – постоянно искать свой особый путь? Можно быть сторонником или противником идеи особого пути России, однако каждое поколение россиян действительно задается вопросом «А куда идет страна?» – в отличие от европейцев и американцев, которые об этом не беспокоятся, предпочитая решать прикладные, технологические вопросы.

Путин на Валдайском форуме 2013 года дал ответ, куда, по его мнению, идет Россия. Сможет ли он ее туда привести, хочет ли этого страна, а главное, сохранится ли этот путь при следующем лидере, будут ли заявленные традиционные ценности по-прежнему актуальны через 10, 20, 30 лет? Мы опять оказались перед необходимостью решить, кто мы, куда и откуда идем.

На самом деле цивилизационный путь России уже определился. Украинский кризис четко показал, что Путин свой выбор сделал. Россия, судя по всему, приложит усилия, чтобы не плестись больше в фарватере ничьей политики. За последние 25 лет страна прошла через различные эволюционные стадии – такие как полный отказ от собственной внешней политики времен Андрея Козырева или демарши времен разворота самолета Евгения Примакова, – в попытке найти некие партнерские и союзнические отношения с Западом. Сейчас выяснилось, к сожалению для одних и к счастью для других, что Россия возвращается на путь, который гораздо ближе к определению «новая холодная война», чем «партнерство», «дружба» или «любовь».

Фактически Путин, если угодно, ведет страну к своеобразному возрождению Советского Союза, пусть и в другом виде, на других идеологических началах. И сейчас уже можно примерно сказать, что это за идеологические начала. Их, скорее всего, подсказало противостояние с Киевом. Это антифашизм (точнее, то, что в российской терминологии принято называть антифашизмом, то есть скорее антинацизм), отказ от пересмотра истории Великой Отечественной войны и борьба с националистической идеологией.

Это серьезный вызов, который обязательно должен отразиться в том числе и в идеологических установках, от школьной программы до государственных кинематографических проектов. Государство вынуждено будет вернуться на идеологическую поляну полной мощью. И речь уже пойдет не только о едином школьном учебнике истории, а еще и как минимум учебнике литературы.

Разумеется, это будет совсем не тот Советский Союз, который мы помним, — однако вновь образованное объединение в идеологическом и языковом плане будет, скорее всего, крайне к нему близким. Уже сейчас хорошо видно, что, например, элитам Казахстана или даже Таджикистана и Киргизии — не возьмемся утверждать насчет остальных среднеазиатских республик — для того, чтобы де-факто сохранить свой образ жизни, крайне выгодно в том или ином виде войти под российский протекторат — с разной степенью сохранения собственного независимого статуса.

Протестному движению при этом уже нанесен тяжелый удар. Майдан в Киеве настолько сильно напугал как власти, так и многих обывателей не только на Украине, но и за ее пределами, и настолько запятнал себя активностью «Правого сектора», что становится абсолютно понятно, почему идеологически столь важно было для российского политического истеблишмента закрепить в массовом сознании этот образ: «Кто сносит действующую власть, какой бы плохой она ни была? — Нацисты всех мастей!»

Это означает, что в России и на сопредельных территориях пойдет борьба в первую очередь с проявлениями нацизма и национализма. И это значит, что придется вырабатывать некую идеологическую модель, чтобы с уверенностью отделять патриотизм от национализма, потому что в широких кругах до сих пор доминирует этакая кокетливая формулировочка: «Ну, есть же цивилизованный, здравый национализм». Теперь придется четко уяснить, что больше в эти игры играть невозможно – то, что здраво, называется патриотизмом, и никак иначе.

Отсюда практически неизбежное столкновение с огромным количеством самых разных объединений, начиная от фактически военизированных группировок и близких к ним по структуре, подготовке и идеологии фанатских объединений и заканчивая откровенными боевиками, в том или ином виде работающими с разными радикальными организациями. Кроме того, это будет означать, что необходимо также атаковать на уровне идеологии сложившуюся уже в России интеллектуальную (или псевдоинтеллектуальную) элиту национализма, причем национализма не только этнического, но и русского.

Действительно, недовольство русского населения ситуацией в стране было очевидно. Кроме того, и выборы, и лозунги, и митинги, и беспорядки на национальной почве, которые происходили за последние три года, показали, что недовольство начинает становиться политизированным. Конечно, проблема русского и нерусского национализма есть. Националистические настроения обычно связаны с ощущением того, что, во-первых, русские в России сегодня имеют меньше прав, возможностей и защиты, нежели приезжающие гастарбайтеры, а во-вторых, что требования к русским по соблюдению законности и правопорядка выше, чем к тем же гастарбайтерам и переселенцам из бывших союзных республик, которые откровенно покупают у полиции регистрацию, прописываясь по 50 человек в одной комнате, и т.п.

Многие люди, приезжающие в Россию из других национальных регионов, оказываются не готовы к тому, чтобы жить в другой культурно-этнической атмосфере, — они привозят свои традиции, не адаптируя их под новое место жительства. Это тоже вызывает очень большое недовольство. Особенно остро стоит проблема в отношении выходцев с Северного Кавказа и мусульман в целом. Конфликт на самом деле очень серьезный и абсолютно не новый. Он был выражен и в Российской империи, и в Советском Союзе — вспомните постоянные конфликты и противоречия, возникавшие в условиях, когда русское население фактически впервые сталкивалось с населением национальных окраин.

Отчасти трудности заключаются в том, что административно-территориальное деление России до сих пор строится по национальному признаку. В России есть административные единицы, смысл которых в том, чтобы сохранять этнические, культурные, религиозные особенности и традиции той или иной национальности или религиозной группы. Это, к примеру, республики Северного Кавказа, Татарстан, Башкортостан. При этом, как ни парадоксально, русские — вроде бы титульная нация — стали единственным народом, который такого образования в России не имеет. Если у всех есть своя республика плюс Россия, то у русских своей республики в Российской Федерации нет, и от этого возникает заметное ощущение неравенства.

Русские, приезжающие в национальные республики, должны жить по правилам этих национальных республик, а граждане, приезжающие из своих республик в Россию, продолжают жить по своим правилам. Получается, что у них как бы две родины — большая и малая, чего русские фактически лишены. Не говоря уже о том, что, казалось бы, именно русские должны были иметь от образования своего национального государства максимальные преференции в политической, социальной и прочих сферах. То есть национальные границы, проходящие по территории России, по-прежнему представляются большой бомбой с часовым механизмом, которая в следующие десятилетия может взорваться.

Первым, кто начал говорить об этой опасности, был Юрий Андропов, который втайне, будучи еще главой КГБ, пытался разрабатывать планы по уходу от национального принципа территориального деления и созданию монолитного Советского Союза. Он оказался прав: Советский Союз распался именно по границам союзных республик, которые теперь превратились в международные. Что с этим делать в России, никто не знает. Ведь даже Андропов, руководитель всесильного КГБ, так и не решился открыто заявить о своих планах, уверяя, что они интересуют его только с аналитической точки зрения. Сегодня же любой политик, который поставит перед собой подобную задачу, подпишет себе смертный приговор – в лучшем случае политический, а может, и физический.

Есть ощущение, что в новую парадигму Путина фактически загнал Запад и те вызовы, которые появлялись с его стороны. Прежняя парадигма рушилась, но в стороне от нее неожиданно возникла другая. Забавно, что по своей канве она нечаянно совпала с парадигмой советской – с Олимпиадами, развитым ВПК и, если можно так выразиться, ренессансом холодной войны – точнее, прохладной войны, «вторая половина XX века 2.0».

Любопытно, к слову, представить, как бы разворачивались события, если бы президентом страны сейчас был не Путин – к примеру, продлилась бы медведевская парадигма. Как бы сейчас Россия реагировала на происходящее? Во-первых, очевидно, что не было бы ни малейшей попытки бороться за Крым. Во-вторых, не было бы смены министра обороны. То есть все бы оставалось по-прежнему. Не потому, что Медведев хороший или плохой — просто в силу и возраста, и образования, и симпатий он, конечно, гораздо ближе к не то чтобы американской, но в любом случае не советской парадигме. Он же сам о себе говорил, что он первый российский президент, который не работал в Советском Союзе. И вдруг эти ростки Советского Союза проявились — как со своими плюсами, так и со своими минусами.

На самом деле такая парадигма третьего срока Путина объясняет и милитаризацию экономики с возвращением оборонного сектора и назначением туда Дмитрия Рогозина с его очень однозначными взглядами, и колоссальное внимание непосредственно к военным, и назначение Сергея Шойгу, которое имело целью в первую очередь внушить армии оптимизм и окрылить, при том что Шойгу даже не человек изнутри системы, и защиту соотечественников за рубежом. Если смотреть на все это в комплексе, станет ясно, что Путин на третьем сроке осознал: если Россия не станет сверхдержавой, в том числе и военной, она просто перестанет существовать как страна. Дезинтегрируется. Ядерного оружия оказалось недостаточно, – любая сверхдержава базируется на идеологии. В конце концов, мессианство тоже базируется на идеологии. Нужна четкая и внятная система взглядов, система ценностей.

Кажется, Путин вдруг понял, что его система взглядов не разделяется, условно говоря, всеми слоями общества единодушно, и то, что ему казалось очевидным и элементарным, выглядит таким только для него. Систему взглядов Путина можно охарактеризовать довольно просто: это своего рода советское православие. Не светское – а именно советское; то есть православие, которым проникся советский человек, будучи уже взрослым. Он искренне считает себя верующим – но не до потери критичности. Он традиционалист – но не настолько, чтобы нельзя было развестись.

Проект взаимной интеграции с Европой в силу тех или иных причин действительно свернулся – или провалился, как ни называй. Разговоры о том, что мы часть европейской цивилизации, закончились. Путин сумел каким-то образом предложить другую цивилизационную альтернативу – и можно долго спорить, объективными или субъективными были предпосылки для рождения этой идеи.

Важно то, что после нескольких лет идеологических метаний идея евразийской интеграции – не только экономической, хотя с этого все начиналось, но и политической, идеологической, культурной, языковой — стала концепцией возможного будущего, каким его видит Путин. Это очень серьезный стратегический поворот, подразумевающий, по сути дела, отказ от многих стереотипов, которые утверждались, развивались, укреплялись и распространялись последние 20 с лишним лет. И при всем том важно удержаться и от другой крайности — чтобы не превратиться в Советский Союз в самом примитивном смысле слова.

Крым: История с географией

Итак, социалистический лагерь распался в 1991 году. Процесс не завершен — как мы уже сказали, это совершенно естественно: границы еще гибкие, не устоявшиеся. Глупо было бы на полном серьезе ожидать, что Советский Союз распадется по границам союзных республик и на этом все остановится. Но внутри этой тенденции атомизации, действовавшей два с лишним десятилетия, неожиданно начала вызревать вторая — собирательство. Центробежные и центростремительные силы начали смешиваться, создавая причудливые комбинации.

Безусловно, самый яркий и символичный пример последнего времени — референдум в Крыму и признание его результатов Российской Федерацией. Но прежде чем перейти к небольшому разбору ситуации, нужно сделать важное замечание.

Выше мы говорили о том, что Россия до сих пор не научилась объяснять свою позицию западному сообществу. Однако главная проблема здесь в том, что и западное сообщество абсолютно не понимает логику России — и, что характерно, даже не пытается это делать. Вообще-то, по большому счету ни одна страна в мире никому ничего не должна. Но при этом всем почему-то кажется, что Россия должна как минимум что-то объяснять. Мир почему-то привык считать Россию своего рода *enfant terrible* и не признает ее права на совершение тех действий, которые без проблем позволяют себе другие страны. А это означает, что фактически в мире не существует объективной инстации, которая может оценить, например, юридическую чистоту того или иного действия.

По всей вероятности, многие просто считали, что Россия еще настолько слаба, что не будет пытаться ни в каком виде объединять территории. Но вопрос тут даже не в силе или слабости России, а в том, что есть объективные тенденции, которые толкают развитие ситуации в определенном направлении независимо от воли Путина, Обамы или теперешних киевских лидеров. Вообще, чем больше об этом задумываешься, тем лучше понимаешь, что есть какие-то глобальные потоки, которыми мы не управляем, как бы ни старались, и объединение разделенных народов рано или поздно происходит.

Михаил Горбачев, отвечая на вопрос, чем отличается государственный деятель от политика, неоднократно говорил: «Государственный деятель думает о будущем страны, о перспективах, а политик – о следующих выборах». Но пока ты думаешь о перспективах страны, тебя на очередных выборах просто выкидывают, и ты продолжаешь думать о будущем страны уже на пенсии.

Действительно, один из минусов демократии в том, что она дискретна – каждые четыре, пять или шесть лет надо избираться. А пока ты думаешь о тридцати- или пятидесятилетнем тренде развития государства, ты с легкостью проигрываешь выборы, потому что надо было думать и действовать популистски. Чтобы сгладить этот недостаток демократии, нужна мощная элита, которая будет поддерживать тот или иной тренд. В этом смысле очень хорошо работает американская модель: меняется лидер, но сохраняется истеблишмент, которому по большому счету все равно, кто заседает в Овальном кабинете.

Ситуация с Крымом наглядно показала, как важно чутко улавливать тенденции и вовремя использовать образовавшиеся шансы. Положа руку на сердце, авторы книги могут уверенно сказать – безотносительно наличия или отсутствия у них симпатии к президенту Путину, – что в учебниках истории через сто лет о нем будет написано, что он соединил разделенный русский народ. А в альтернативном варианте говорилось бы, что Путин не воспользовался ситуацией и упустил уникальный шанс. Вот и всё. Все детали со временем уйдут из памяти. Все случайные политики, пришедшие к власти в Киеве и в Крыму, забудутся. Останется только главное. Есть глобальные исторические тренды, которые не преодолеть, – если встать на их пути, они просто снесут тебя, как лавина.

Безусловно, то, что произошло в Крыму, – это своего рода размен. Путин хорошо понимал, что если бы он не отреагировал, то скорость, с которой «майдан» пришел бы в Россию, поставила бы под сомнение его возможность дожить спокойно даже до конца избирательного срока, и в истории он остался бы вторым Горбачевым. Он прекрасно отдает себе отчет в том, что, жертвуя сегодня хорошими отношениями с Америкой и блоком НАТО, он существенно продлевает себе политическую жизнь – по крайней мере, рисует новые возможности и в историю входит уже совсем по-другому.

Отношения с Америкой, Европой и НАТО, конечно, очень важны, но, в конце концов, это лишь вопрос тактики. Все тактические просчеты можно скомпенсировать со временем. Но нельзя ничем загладить потерю уникальной ситуации, которая в следующий раз может сложиться еще лет через 50, – шанса вернуть себе большой кусок русской территории, прославленный и в битвах, и в мирной жизни, землю абсолютно легендарную с точки зрения российской истории. Можно как угодно относиться к Путину — но появившимся шансом нельзя было не воспользоваться.

В истории бывало всякое, и народы в силу разных обстоятельств оказывались разделены — но ни один народ еще не был разъединен навсегда. Объединение неизбежно — в противном случае народ ждет рассеяние и, в конце концов, уничтожение. Это очень хорошо понимает Китай, осуществляющий сейчас постепенное освоение некогда отделившихся островов.

Именно поэтому, нравится это кому-то или нет, рано или поздно вновь станет единой Корея, несмотря на то что ни Китай, ни Япония, ее ближайшие соседи, в этом, мягко говоря, не заинтересованы, и их подход в определенной степени тактически разделяет и Америка. Действительно, чрезвычайно развитая, с хорошо работающей экономикой Южная Корея, к которой, говоря очень упрощенно, добавится огромная армия Северной Кореи и ее же атомное оружие, может создать серьезную проблему для всего мирового сообщества. Но, так или иначе, это объективная тенденция, и мы, по большому счету, можем только обсуждать детали — попадают те или иные политики в тренды или нет.

Интересно, что мало кто всерьез поднимает этот вопрос, когда речь идет о Крыме. Но поскольку до 1954 года, когда Крым был передан Украине, он являлся частью России, происходящий процесс, бесспорно, является воссоединением – не разделенной территории, а разделенного народа. Представляется, что следствием ситуации с Крымом может стать определенное усиление ощущения моральной правоты именно русского народа – не в шапкозакидательском, патриотически-националистическом, а в хорошем смысле слова. Все-таки Россия впервые после распада СССР получила шанс создать государство с титульной нацией, формально имеющей большинство. Что крайне любопытно, поскольку русские не были большинством даже в Российской империи.

Но есть и бесспорные проблемы. Крым – это конфетка с начинкой, и эта начинка очень серьезна и очень опасна. Мы имеем в виду 300 с лишним тысяч крымских татар, которые, безусловно, являются коренным населением полуострова. При этом у них сложные отношения со всеми, в том числе и российскими татарами, это совершенно другой народ, абсолютная вещь в себе. В советское время крымские татары вошли в число репрессированных народов, они этим очень и очень обижены, так что большой веры в «Белого царя», в Москву у них нет.

Плюс к тому они сильно подвержены идеям радикального ислама. Так, в Крыму на протяжении многих лет действовала «Хизб ут-Тахрир», которая запрещена на территории России. Крым служил перевалочной базой для боевиков во время чеченской кампании, а по некоторым данным, до 400 боевиков из числа радикально настроенных крымских татар воевали в Сирии.

Татары владеют существенной частью серединной части Крыма — там их земли, их поселки, они осуществляли там самозахват земли на протяжении многих лет. На побережье татары никогда не выходили — оно не особо их интересовало. Они занимаются сельским хозяйством, строят дома. Есть ощущение, что многие из них даже продолжают кочевой образ жизни. Как бы то ни было, для России все это богатство создает серьезные проблемы, хотя нельзя не отметить немалый опыт, накопленный, в частности, в Чечне Рамзаном Кадыровым, в выяснении отношений с радикальными направлениями ислама.

Кроме того, в последние годы, будучи в составе Украины, Крым являлся территорией, на 60% субсидируемой из Киева, и России придется взять на себя эту экономическую ношу. Одно из решений — перевод города Севастополь в подчинение непосредственно Крыму, и те примерно 100 миллионов долларов, которые Россия платила Киеву за аренду, будут поступать в распоряжение крымских властей. Этого будет более чем достаточно.

Тем более нельзя забывать, что Крым — это великолепная курортная зона, поэтому за счет туристов при грамотной организации дела можно хорошо пополнить бюджет. Что любопытно, крымский город Ялта – это единственное место на территории бывшего СССР, где была и есть до сих пор улица, названная именем президента Франклина Рузвельта. Она расположена в центре города и получила название в память о встрече «Большой тройки» в Ливадийском дворце под Ялтой. Там до сих пор сохранились советского вида жестяные таблички с козырьком – «улица Рузвельта», и тут же «улица Ленина».

ВЕСНА ИЛИ НОВЫЙ ЛЕДНИКОВЫЙ ПЕРИОД?

Новый мир, новые порядки

Трудно сказать, насколько далеким от политики гражданам заметно, как ускорилась динамика политических процессов в мире. Сколь быстро происходят сегодня изменения в глобальных трендах и перестановке сил на мировой арене. Как быстро меняются ориентиры и приоритеты развития, соотношения выгод и потерь какой-либо страны в той или иной международной ситуации. Мировой политический процесс сегодня набрал такую скорость, какой не было, наверное, еще никогда в истории человечества.

Причин много. Они коренятся, с одной стороны, в беспрецедентной глобализации финансовых и информационных рынков, рынков сбыта товаров и трудовых ресурсов, заметном сужении и размывании многовекового суверенитета государств, трансформации дипломатии, участие в которой все активнее принимают внешние силы — от гражданского общества и бизнеса до спецслужб и СМИ, всеобщем ослаблении исполнительной власти и традиционных политических институтов. С другой стороны, это ускорение связано с окончательным освобождением мира от ограничений и противовесов, которые в период холодной войны сдерживали, загоняли вглубь или замораживали многочисленные процессы в разных странах, не давая им проявиться в реальности, ибо это противоречило интересам и намерениям двух сверхдержав, монопольно контролировавших тогда мир, а также устойчивому балансу сил, характерному для того периода.

Сегодня эта тугая пружина начинает разворачиваться в полную силу, сметая наши представления о мировой системе и основах ее функционирования, еще недавно казавшиеся незыблемыми. Робкие попытки установить новые правила игры и международные законы почти сразу становятся опять неадекватными. Государствам так или иначе приходится отказываться от договоров, которые они еще недавно подписывали, будучи уверенными в их необходимости и полезности. Политики и военные оказываются в тупике — традиционные представления о союзниках, противниках, о способах обеспечения национальной и глобальной безопасности и т.д. на глазах переворачиваются с ног на голову.

История американской прослушки своих европейских союзников и партнеров по НАТО показала «новое лицо» глобальной системы, а ситуация вокруг Эдварда Сноудена продемонстрировала очень высокую степень неоднозначности и поставила все стороны в тупик, хотя еще десятилетие назад она воспринималась бы только в черно-белых тонах. Что бы ни происходило в мире сегодня, оно неизбежно приобретает такой многоцветный окрас, что старые идеологические представления меркнут перед этой деидеологизированной, но очень динамичной картиной. Мир окончательно ушел от черно-белой модели и перешел на цветную – очень высокого разрешения. Говорить в таких условиях о невозможности двойных, тройных или четверных и т.д. стандартов в политике – значит намеренно ставить себя в проигрышное положение. Ни Москва, ни Вашингтон, ни Пекин такого себе позволить просто не могут.

Нынешний мир, конечно, не отменяет политическую, военную или, тем более, экономическую конкуренцию между странами. Однако она все больше приобретает внегосударственный характер, подчиняя себе национальные элиты. Чем больше страна вовлечена в такую конкуренцию, тем больше ее элиты мыслят глобальными категориями и тем больше сами зависят от глобального мира. И наоборот: чем больше элита оторвана от глобальных трендов, тем больше и ее страна выпадает из них. Именно в эту мышеловку угодил, в частности, национальный суверенитет.

Дискуссия по поводу присоединения Крыма к России в глобальном сообществе будет, безусловно, продолжаться долго. Возможно, мир вообще никогда не достигнет хотя бы относительного единодушия в этом вопросе. Да и нужно ли оно?

В США, к примеру, есть и будут политики и эксперты, для которых то, что произошло в Крыму, является неприемлемым. Их большинство. Сегодня 68% жителей Америки считают Россию врагом. Спор между ними идет о том, насколько именно она ужасна. Есть здесь и те, кто принимает российскую логику и считает, что Москва в конкретной ситуации могла действовать только так, как она действовала, и ее цели соответствуют национальным интересам России. Таких людей меньше, но все же немало. Много и тех, кто занимает промежуточные позиции, смотрит не сквозь черно-белые очки, а старается видеть всю многоцветность и противоречивость крымской истории. Более 60% американцев вообще полагают, что США не стоит встревать в конфликт между Украиной и Россией.

В любом случае в Америке разворачивается широкая дискуссия, цель которой не какие-то там санкции, а необходимость понять свои ошибки и просчеты, выработать адекватный взгляд на изменившуюся Россию и найти свою новую политику.

На самом деле следует сказать, что Путин – очень хороший ученик Запада, действующий в его лучших традициях. Мы уже отмечали, что он позитивно относится к Западу и никоим образом не является природным антизападником или даже антиамериканистом, хотя Европа ему явно ближе. Но посмотрите, какой он приводит аргумент –

разбивающий все аргументы тех же американцев или европейцев, – он вспоминает Косово.

В этой связи очень смешно наблюдать, как основные пропагандистские силы России вынуждены сейчас разворачиваться на 180 градусов для обоснования действий собственного правительства. Еще бы! В течение 15 лет Россия категорически отрицала законность действий Запада в Косово, а сегодня вдруг оказалось, что именно схожесть с Косово является главным аргументом легитимности крымского сценария Кремля. Бедные российские политобозреватели, многие из которых на яростной критике Запада в Косово сделали себе имя и карьеру! Сегодня им приходится срочно поворачиваться в противоположную сторону.

После августовской войны 2008 года Москва – тоже весьма справедливо – заявляла, что она не сделала в Южной Осетии ничего такого, что не делали до этого страны Запада. Уже тогда отсылка к западной практике стала основой легитимности действий Москвы, и Запад в конце концов нехотя, но принял эти аргументы. В августе 2008 года Россия сама вбила последний гвоздь в гроб ялтинской системы, которую чуть ли не единолично до этого героически отстаивала.

Действительно, если смотреть беспристрастно, то сходство Косово и Крыма станет очевидным. При всех чудовищных отличиях общая линия одна и та же, особенно с точки зрения правовой практики. При этом у Крыма есть два явных преимущества: во-первых, отсутствие геноцида – удалось не довести ситуацию до массовых жертв, а во-вторых, все-таки был референдум. Получается, что при всей критике Путина Западу нечего сказать по существу. Любопытно, что Барак Обама упомянул на выступлении в Брюсселе референдум в Косово, которого не было. Это грубейшая ошибка спичрайтеров, косвенно показывающая, в какой спешке команда Обамы готовила тексты – что отнюдь не делает ей чести с профессиональной точки зрения, так как речь президента всегда, при любых обстоятельствах должна выверяться и вычищаться до мелочей.

Итак, Москва неожиданно для всех пошла в Крыму по западному политическому пути, но дальше самого Запада, став в определенном смысле законодателем нового тренда в новом миропорядке. Особенно в трактовке национального суверенитета, территориальной целостности и права на обеспечение внутренней безопасности силами извне. Стало понятно, что Россия вступила на тот же путь, по которому движутся Соединенные Штаты, и хочет участвовать в установлении нового миропорядка ровно в такой же степени, в какой в этом процессе участвует Запад. Для Америки это обидно – они такого попросту не ожидали.

В качестве иллюстрации можно привести смешной пример. Первая попытка крымчан показать свою силу в Симферополе – окружить местный горсовет – привела к столкновению русской и татарской общественности. Татары вроде бы вытеснили русских, заняли помещение. Ночью стук в дверь: «Мы оружие привезли, помогите разгрузить». Татары открывают дверь, помогают разгрузить оружие, после чего вежливые вооруженные люди им говорят: «Спасибо большое, теперь идите по домам спать!» Вот это примерно то, что случилось в Крыму с американцами. Американцы вкладывали в Украину миллиарды долларов, думали, что они все понимают, объясняли, как надо жить... А в итоге их вежливо «попросили» из Крыма: «Всем спасибо, все свободны».

Что еще сильно удивило Америку – то, что Россия оказалась настолько проворной. Никто не думал, что события будут развиваться так стремительно и что Путин отреагирует на них так быстро. Никто не ожидал такой скорости от российской бюрократии. Россия в ситуации с Крымом пошла по тому же пути, что и Запад в ситуации с Косово, но продвинулась дальше, сделав это быстрее, эффективнее и к тому же бескровно.

Выяснилось, что у России есть некие войска, которые неожиданно эффективно решают поставленные задачи и которые при этом умудряются вести себя так, что их очень любит местное население. Россия воссоединилась с Крымом без единого выстрела. Когда делаются заявления наподобие «в Крым вошли российские войска», дотошные журналисты на это спрашивают: «Ну покажите, кто вошел?» Да, 20-тысячный российский корпус в Крыму и так стоял. Но там был еще и 16-тысячный украинский корпус. Почему не произошло боевое столкновение? Значит, не все так просто? Тогда о чем нам тут рассказывают?

Теперь американцам, нравится им это или не нравится, быстро или небыстро, но придется признать тот факт, что Россия стала одним из соучредителей строительства нового мирового порядка. Судя по всему, больше Россия не собирается допускать монополии Запада на установление миропорядка, как это происходило на наших глазах последние 25 лет – с бесконечными кризисами, неустойчивостью и огромным количеством вновь возникающих проблем. Вообще, монополия – это путь к ошибкам. И монополия во внешней политике – такой же путь к ошибкам, как и любая другая. Поэтому с точки зрения стратегии миропорядка нельзя не приветствовать то, что на арене появился новый игрок, способный выступать в роли оппонента.

Чем интересна позиция России? Россия говорит: «Постойте, но вы же нас всегда обманывали. Вы обещали, что не будет расширения НАТО на восток. А теперь вы нам просто заявляете: мало ли, что вы обещали. Вы же не выполняете своих обязательств – как с вами договариваться?» Спусковым моментом стали договоренности 21 февраля 2014 года, когда представители западного истеблишмента неожиданно отказались от своих гарантий.

Президент Путин начал задавать Западу неудобные вопросы. Америка – напомнил он – взяла на себя роль посредника. Но что происходит? Нам долго объясняли, что демократия – это воля народа. Но ведь референдум в Крыму прошел! Это же и есть воля народа. Такие цифры подделать нельзя. И что нам теперь пытаются сказать – что у народа нет права на самоопределение? А как же международное право? Нет, мы не говорим, что Косово – это хорошо. Мы по-прежнему считаем, что это плохо. Но мы возвращаем те же объяснения, которые приводила Мадлен Олбрайт, а нам говорят, что это неправильно.

Нам все время объясняли, что есть незыблемые экономические свободы и свобода слова. Почему же тогда вводятся санкции против журналистов? Что же получается – людей бьют за то, что у них есть своя позиция, называя ее пропагандой? Но вот мы видим спокойно работающие радиостанции «Голос Америки» и «Радио «Свобода», трансляция которых запрещена на территории Соединенных Штатов, потому что это пропаганда. А журналисты, которые делают авторские программы, попали под санкции. Как говорится в старом анекдоте, «и вот эти люди запрещают нам ковырять пальцем в носу?».

Совсем недавно некий американский политик высокого уровня, работавший одно время в администрации, сказал одному из авторов этой книги в частном разговоре: «Всем уже понятно, что начиная со второго президентского срока Билла Клинтона мы постоянно использовали Россию. Мы постоянно обманывали ее. На первом этапе мы все время ждали реакции. Один раз нам это сошло с рук, и второй, и третий, и пятый. Мы привыкли к тому, что Россия ничего не делает. Мы ее используем, мы ее обманываем, мы ее «разводим», и ничего не происходит. Мы втянулись. И постепенно расслабились. И когда сейчас наконец Россия встрепенулась и решила дать нам отпор, мы оказались не готовы».

Иными словами, американская элита хорошо понимает, что так или иначе какая-то нечестность была на самом деле. Это не придумка россиян. И то, что мир сегодня возвращается к противостоянию сродни холодной войне, вызвано отнюдь не Кремлем – а отношением американцев к России, как к стране проигравшей, которую можно использовать в своих интересах. Использовали ее сравнительно деликатно, но тем не менее очень активно, а главное, постоянно, не видя никакого сопротивления со стороны России. Но оказалось, что Россия ничего не забывала. Оказалось, что сопротивление росло, Россия готовилась, и когда появилась возможность, моментально ею воспользовалась, к большому изумлению американцев.

Удивительно, что американцы не отследили ряд подготовительных моментов. Конечно, Россия даже близко не планировала никакого форсированного присоединения Крыма. Но она планировала национализацию элиты. Поэтому был приказ о закрытии счетов, о переводе бизнесов. Это показывает некий уровень предвидения в российской элите, понимания, куда направлен вектор. Америка этого не отследила.

Соединенные Штаты оказались не готовы к серьезному восприятию России — не как страны, где надо строить демократию, а как страны, у которой есть свои интересы. У нее есть и свои заморочки, но они российские, не надо пытаться их переделать, с ними надо жить. Америка же не переделывает Китай или арабские страны. А Россия почему-то стала в ее руках этакой лабораторной мышью. И то, что этого делать нельзя, американцы никак не могли понять.

Россия, которой нет

Надо здесь вспомнить, что в какой-то момент Россия, условно говоря, полностью исчезла с американских радаров. Она перестала интересовать американцев. Абсолютно смехотворно на первый взгляд выглядело заявление бывшего кандидата в президенты США Митта Ромни, что Россия — геополитический противник. В Америке над ним буквально издевались, говорили, что он бредит — никакой России попросту нет. Перестали выделяться деньги на российские исследования, специалисты переквалифицировались на Восточную Европу, кое-кто уже задумывался о том, что пора учить китайский или арабский.

Поэтому нет ничего удивительного в том, что Америка оказалась не готова к событиям на Украине. Американцы были убеждены, что Россия как геополитический игрок не существует. Что не существует больше ни российской армии, ни российской разведки. Да, президент Путин может о чем-то там поговорить, договориться по Сирии, показать свои временные успехи на дипломатическом поприще, но к этому же нельзя относиться серьезно! Во время активного изучения вопросов «майдана» позиция России вообще не прослеживалась никоим образом. В Киеве постоянно присутствовали эмиссары из Европы и Соединенных Штатов, но не было никого, имеющего хоть какое-то отношение к России. Не было их и в Москве.

Мало того, никаких пророссийских настроений или политиков в течение последних лет на Украине тоже не наблюдалось. Все политики были по-разному антироссийскими. И казалось, что Украина уже совершенно точно и ясно уплывает, а Россия может лишь с грустью посмотреть ей вслед. Совсем как разведенные супруги, один из которых находит себе нового партнера: можно попереживать, но сделать уже ничего нельзя.

Особенно странным выглядел в этот момент отъезд на родину посла Соединенных Штатов Майкла Макфола — на фоне Олимпиады и развивающегося кризиса на Украине. В результате дипломатическая служба, а значит, и все остальные службы, имеющие прямое отношение к сбору информации и обеспечивающие возможность формального и неформального общения с Россией, оказались обезглавленными и по сути беспомощными.

Вообще надо отметить, что Макфол, который искренне считал, что знает и любит Россию и заинтересован в ней, оказался, как и многие американские политики, в плену собственных эмоций и политических пристрастий.

Вместо того чтобы устанавливать отношения с истеблишментом, посол сфокусировал все свое внимание на оппозиции. Вывод о состоянии политических элит делается на основании выступлений «Эха Москвы» и встреч с Алексеем Навальным. Но ведь это заведомо неполная, мягко говоря, информация. Однобокая. Что может знать Алексей Навальный о том, что реально происходит в Кремле? Какой у него инсайд оттуда? Ответ простой: никакого. Что может знать, скажем, Дмитрий Гудков? Тоже ничего исключительного.

На самом деле примерно так же российская элита до сих пор делает выводы об американской элите по Патрику Бьюкенену, а о внешней политике – по Збигневу Бжезинскому, который давно уже ни к чему не имеет отношения. Это даже не отголоски реальной политики, а какие-то крайне маргинальные ее исторические задворки. Это просто смехотворно. С европейской политикой дела обстоят несколько иначе. Там осуществляются постоянные контакты, идет обмен делегациями, проводится совместная работа, к тому же все сильно завязано на представителей бизнеса. А ведь с Америкой у нас и бизнеса практически нет. Настоящих специалистов по Америке, ее внешней и внутренней политике в России осталось совсем мало. Растет непрофессионализм. И это тоже большая проблема.

Примечательно, что посол США Майкл Макфол так ни разу и не сумел поговорить один на один с Владимиром Путиным — по большому счету, он общался с ним лишь на церемонии официального вручения верительных грамот после инаугурации, в числе других послов. Мало ему удалось встречаться наедине и с Сергеем Лавровым.

Иными словами, Вашингтон так и не выстроил систему доверительных отношений с представителями российской власти, чем лишил себя возможности чувствовать нюансы. Он не расставил систему маячков. Многим в США казалось, что Россия — это то, что им рассказывают оппозиционеры и их собственные ощущения от влюбленности в «цветные революции». Вашингтон не заметил, что за тонким слоем либерализма стоит совсем другая страна. Именно поэтому он не смог представить ни точной картины всего, что происходит в России, ни того, какую реакцию могут вызвать события на Украине, ни того, каким, соответственно, будет ответ России. И американцы оказались искренне изумлены, столкнувшись с тем, что Россия фактически позволяет себе поступать как Америка.

Эта ситуация очень характерна для отношения Соединенных Штатов к России. Это не случайный просчет, а системная ошибка. Проблема в том, что через 25 лет после окончания холодной войны Америка продолжала относиться к России как к стране побежденной, требующей политического контроля и инструктажа со стороны победителя. Может быть, в 1990-е годы это и было так – России была нужна помощь в проведении реформ, определенные преференции и поддержка, – но через четверть века подобные взгляды уже как минимум смешны. От такого подхода Вашингтону надо было отказываться еще лет 10–12 назад и начать постепенно признавать за Москвой самостоятельность и самодостаточность.

Напомним, что все страны, проигравшие во Второй мировой войне, через 25 лет уже давно были союзниками Америки, их воспринимали всерьез – в частности, Германию и Японию, – и никому в голову не приходило советовать японцам или немцам, как переустраивать свои страны и политические системы и как работать с оппозицией. В России этого не произошло.

Важно и то, что Россия по большому счету не считала себя проигравшей. Она полностью сохранила свой ядерный потенциал и, несмотря на разнообразные проблемы, никогда не подписывала мирного договора, где признавала бы себя побежденной стороной. Но после упреков представителя Соединенных Штатов в ООН Саманты Пауэр в адрес российского дипломата Виталия Чуркина Россия с большим интересом для себя выяснила, что, оказывается, она кому-то что-то проиграла. Очевидно, большая часть американского внешнеполитического истеблишмента никогда не изучала российской истории. Они то ли забыли, то ли не знали, как относится наша страна к тем, кто почему-то считает, что может себе позволить роскошь на нее кричать.

Как бы там ни было, сегодня Соединенные Штаты вынуждены расплачиваться за то, что так и не сумели за 25 лет сформировать отношение к реальной России, такой, какая она есть. Американская элита все время имела дело с несуществующей страной, придуманной в местных коридорах власти, вашингтонских институтах и аналитических центрах. Не было предпринято ни одной попытки наладить связь с настоящей Россией, а не с какой-то покоренной территорией, которая требует реформирования со стороны Запада.

Да, в Москве плохо знают и понимают США. Но девальвация и дискредитация американского знания о России в ситуации с Украиной проявились со всей очевидностью. Американцы сегодня сами постепенно начинают понимать, что объективной информации о России, о том, как она развивалась последние 10–15 лет, у них не было. Все скрылось под громкими фразами о «кровавом режиме Путина», коррупции, несправедливости и всепобеждающей силе Болотной, которая еще чуть-чуть – и всех скинет.

Говоря обобщенно, можно отметить, что за всю историю западной русистики, включая советологию, было всего два основных направления трактовки того, что происходит в России, и вообще отношения к России. Одно из них, условно говоря, бутиковое: Россия – это такая страна, непонятная Западу, где медведи ходят по улицам и пьют водку, где матрешки и балалайки, и ничего с этим не поделаешь. Эту страну не понять, и давайте на этом остановимся. Согласно второй линии, сформировавшейся в западной историографии на протяжении последних двухсот лет, русский народ вечно находится под гнетом элиты, которая выжимает из него последние соки. То есть русские – это народ, который постоянно репрессирует собственная элита: сначала при царе, потом при коммунистах и вот теперь при Путине. И этому народу надо бы помочь со стороны.

Эти две линии фактически не менялись приблизительно с XVII–XVIII века. И, к сожалению, из этих рамок западная историография так и не вышла – в том числе американская, хотя, казалось бы, именно от нее можно было ожидать прорыва. Американцы только меняют ракурс: например, Ельцин был «прикольный» – он выпивал, писал на самолет и дирижировал оркестром. Эдакий царь Борис, который при этом все равно грабил народ. Теперь говорят, что Путин грабит народ. Разрыв между народом и элитами американцам очень хорошо понятен.

И всю историю России, да и всего постсоветского пространства в очередной раз пытаются изложить в этих терминах, не выходя за их рамки. Отсюда и фраза Обамы, что «народ Украины хочет свободы». Но народ Украины 23 года свободен – о какой свободе сейчас идет речь? И на этот вопрос нет ответа. Может быть, мы говорим о свободе от собственных элит? Так они никуда не делись – олигархи так и остались на Украине.

Любопытный вопрос: почему Европа проявила в отношении действий России несколько больше понимания, чем Америка? Если посмотреть публикации в прессе, отражающей позицию Европы и позицию Америки, отличия будут очень показательны. В Израиле вдруг появляются политики, которые, глядя на происходящее на Украине, говорят: «Спасибо, Россия». В развернувшейся информационной войне Россия говорит: «Мы защищаем евреев! Посмотрите – на Украину пришла антисемитская власть».

Европе очень тяжело с этим спорить, потому что она сама по требованию депутатов Кнессета объявляла «Партию свободы», которую возглавляет Олег Тягнибок, антилиберальной и антисемитской. И когда пять министров от этой партии вдруг оказались в правительстве Украины, Европа не может просто сделать вид, что ничего не происходит. Выступление лидера немецких левых Грегора Гизи, помимо довольно жесткой критики России, было посвящено и этому вопросу. «Госпожа Меркель, – воскликнул Гизи, – мы не можем позволить себе роскошь не видеть!» В прошлом веке Европа уже делала попытку не замечать того, что происходит в одной стране. Результат всем известен.

Здесь возникает еще одна опасная тенденция. К сожалению, идея сепаратизма зачастую тесно связана с идеей национализма. А национализм в Европе сейчас очень заметно поднимает голову. Как правило, эти националистические идеи представляют партии крайне правого толка – и вдруг они начинают поддерживать Россию. Но это отнюдь не те союзники, которые нам нужны и которых Москве хотелось бы иметь. Когда ряд европарламентариев, настроенных на американскую позицию, ненавидят Россию, а ряд политиков крайне правого толка, таких как Марин Ле Пен, говорят, что Россия – это круто, сама Россия оказывается в очень сложном положении.

Выяснилось, что политические партнеры как таковые у России отсутствуют. Само это понятие никогда не рассматривалось. Есть более или менее тесные контакты разных политических партий, но нет озвученной государственной позиции. Кроме того, стало ясно, что лично у Владимира Путина могут быть замечательные отношения с разными политиками, но когда наступает кризис, проявляются какие-то глубинные противоречия, которые сложно было даже себе представить. Это либо комплексы еще времен гэдээровского воспитания госпожи Ангелы Меркель. Либо резкое неприятие прохристианской позиции господина Франсуа Олланда. Можно вспомнить и бывшего президента США Джорджа Буша-младшего, с которым у Путина были великолепные дружеские отношения, но логика событий все равно сработала по-своему. Да и с Бараком Обамой поначалу на личном уровне все было нормально.

Повторим: России пора уже начинать серьезно относиться к тому, как объяснять миру свою политику. До сих пор Россия традиционно реагировала на непонимание со спокойствием и даже безразличием: «Ну не знают и не знают, это же им нужно, а не нам». Путин однажды сказал: «Все равно им наш газ нужен — придут к нам и купят». А это неправильно.

Один из авторов этой книги как-то раз заметил, что фраза «умом Россию не понять, аршином общим не измерить» — это фактически приговор, а не похвала. Это как раз печально, потому что означает невозможность выстраивания нормальных, в том числе дипломатических отношений.

Мы привыкли произносить эту цитату с придыханием и восторгом собой – а никакого придыхания и восторга здесь нет и быть не может.

Как ни странно, Путин, являясь на самом деле абсолютно логичным и внутренне непротиворечивым политиком, непонятен Западу отнюдь не потому, что он «да, скиф, да, азиат». А всего лишь потому, что некому толком объяснить последовательность его шагов. Россия вдруг, словно айсберг, выходит из тумана, встречается с «Титаником» и продолжает свой путь, не задев его. Конечно, большое спасибо айсбергу, – думают люди на «Титанике», – но хотелось бы все-таки понять, как он дрейфует.

Путин иногда предпринимает попытки объяснить. Но Путин, заметим, находится не в том положении, когда он может и должен объяснять каждый свой шаг: он политик, ему нужно оглядываться на внутреннюю ситуацию в стране и отслеживать очень многие факторы, действующие здесь. Иногда объяснениями занимается Сергей Лавров, который, впрочем, тоже решает чисто прагматические задачи. Но почему этого не в состоянии сделать огромная российская элита?

Давайте зададимся таким вопросом: кого еще из российских политиков знают на Западе? Узкие профессиональные круги знают Сергея Лаврова и Виталия Чуркина. И столь же узкие круги, наверное, что-то слышали об Игоре Шувалове и

Аркадии Дворковиче, потому что как-то коррелируют с ними по роду занятий. Разумеется, знают Дмитрия Медведева. И всё. Кстати, вспомним, что Хиллари Клинтон в свое время даже не смогла правильно произнести фамилию Медведева, что само по себе достаточно показательно. При том что американских политиков в России знают гораздо больше, вплоть до отдельных людей в Госдепе. То есть, к сожалению, российские элиты не представлены в мировом политическом пространстве.

Если оперировать футбольными ассоциациями, то Владимир Путин и Сергей Лавров – это, условно говоря, Лионель Месси и Жерар Пике. Но необходима еще куча игроков, тренеров, массажистов и менеджеров, чтобы футбольный клуб мог нормально работать. В России же распространено совершенно противоположное отношение: есть две-три звезды, и пусть они все вытаскивают. Мол, что вам еще надо, вам же Путин все сказал. Ну вот еще Виталий Чуркин попытается объяснить. Но это же неэффективный метод. Притом очень важно, чтобы российскую позицию объясняли иностранцы. А для этого они должны быть вооружены не деньгами, а информацией.

Между тем в Америке – а возможно, и в Европе – уже давно, например, не проводится ни одного конкурса на лучшую работу о России среди студентов. Уже давно нет конкурсов на лучшую диссертацию по российской истории или политике среди аспирантов. Практически не осталось премий профессорам провинциальных университетов, разрабатывающим российские темы. Почему Россия не может этим заняться и начать вырабатывать у молодых американцев новую точку зрения? Деньги-то на это есть.

В Центре глобальных интересов в Вашингтоне, где работает один из авторов книги, проводятся уникальные даже для США семинары для молодых американцев. Этим ребятам сейчас по 20–25 лет, и через 15–20 лет они возьмут в свои руки внешнюю политику США. С ними нужно работать – а этим никто не занимается. Они бегают по Вашингтону и нанимаются на работу в разные аналитические центры, где носят кофе и делают ксерокопии, но, как только им даешь возможность что-то написать или обсудить, выясняется, что у них совершенно другие, свежие взгляды на жизнь, на Россию, на международную политику. Иногда они очень критически относятся к роли Америки в том или ином регионе мира. Но никто никогда даже не пытался давать им серьезные знания о России.

Кроме того, Россия, Москва, Кремль, экспертное сообщество, журналисты, по большому счету, очень плохо осведомлены о том, что происходит на Западе и в западных элитах. Практически никак. Самое яркое проявление этой плохой осведомленности – все, что происходит в российской газовой политике. Простой пример. Очень справедливые критические замечания сделал в свое время журналист Михаил Леонтьев. Он, при всем к нему уважении, вряд ли является признанным мировым газовым экспертом, однако вдруг выяснилось, что его понимание «сланцевой революции» гораздо глубже, чем у тех людей в «Газпроме», которые, казалось, и должны были бить тревогу и делать все возможное, чтобы мы были к этому готовы.

Мы были абсолютно уверены, что газ – это всё. Однако теперь наши привычные смешки над разработками сланцевого газа звучат уже невесело и неубедительно. Это ясный сигнал того, что несколько лет назад была допущена ошибка в оценке ситуации. И то, что Америка сейчас стала полностью независимой в вопросах газа, показывает, что «сланцевая революция» – вовсе не дурной анекдот.

Это на самом деле очень важный вопрос. Российская элита почему-то уверена, что на раз-два просчитывает Америку и Европу и прекрасно их знает – что на самом деле совершенно не так. Мало кто понимает, как формируется мнение Вашингтона или Брюсселя. По крайней мере в случае Америки этого точно никто не понимает – и это может подтвердить один из авторов книги, живущий в США уже четверть века. Чтобы понимать, надо знать, как устроена Америка, американское общество, американская элита, американские СМИ. Это совершенно отдельная тема. И, что печально, тех, кто действительно хорошо в этом разбирается, никогда особенно не слушают в российской элите.

Нужна очень серьезная перестройка, и, наверное, пока мы не добьемся успеха в этом деле, изоляционистские тенденции так и не удастся преодолеть и Россия по-прежнему останется страной, которую никто не слышит. Да и не захочет услышать.

Справедливости ради нужно заметить, что Запад, со своей стороны, также в ряде ситуаций выглядит незаинтересованным в объяснениях России. Украинский кризис – серьезнейший информационный повод. Ну хотя бы пошлите в Россию корреспондентов, добейтесь интервью с Путиным – все, и *BBC*, и *CNN*, и *Fox News*, – посидите в очереди, Путин с удовольствием вам все расскажет. Но ничего подобного не происходит. И наоборот, когда проводились пресс-конференции американских политиков, российским СМИ было запрещено присутствовать. Книги о Путине и России на Западе, за редким исключением, скучны, полны стереотипов и фантазий самих авторов, далеких от российских реалий. Да и книг на самом деле не так много.

То же касается и срыва заседания «Большой восьмерки» в Сочи. Казалось бы, формат G8 блестяще подходит для того, чтобы переговорить напрямую и задать Путину все интересующие вопросы не через журналистов или Сергея Лаврова, а лично. Почему бы не поставить его в тупик на встрече в Сочи – если получится? Но Запад отказывается от этого формата. Лучше всего было бы вообще собрать G8 в апреле, по горячим следам, – но нет, общую встречу заменили встречей представителей семи стран. Что это значит? России боятся высказать в лицо все, что думают? И какое влияние это окажет на международное развитие? Члены «семерки» хотят поговорить о том, какая Россия плохая, – но как можно говорить об этом в отсутствие России и без выслушивания ее мотивации?

Остается открытым вопрос, что произойдет в дальнейшем, в частности, с Валдайским форумом. Конечно, неприятие западной элитой, в первую очередь американской, того, что произошло в Крыму, может привести к обвалу этого действительно очень хорошего, эффективного формата. Вообще на Западе, мягко говоря, не поняли истории с ликвидацией РИА «Новости» и созданием агентства «Россия сегодня», к тому же весьма однозначное отношение к руководству агентства может привести к тому, что валдайский формат станет политически неинтересным для многих ведущих американских и европейских экспертов, политиков и журналистов.

Среди вашингтонского истеблишмента уже звучат мысли о том, что, может, и не стоит ехать на Валдайский форум – как бы он не превратился из дискуссионной площадки в чисто пропагандистское мероприятие. Такая опасность есть. Нельзя упираться в пропаганду, этого никто не поймет. Нужен диалог. Мы говорим о том, что Россия должна себя объяснять и ни в коем случае не впадать в изоляционизм, и в том числе убеждены, что сохранить такую наработанную, мощную площадку, как Валдайский клуб, безусловно, необходимо. И сосредоточиться в рамках форума нужно именно на разъяснении российской позиции.

Выступления Владимира Путина на Валдае всегда были очень эффективными, как и выступления Сергея Лаврова и Сергея Шойгу на форуме 2013 года. Но все это происходило до событий на Украине. Сейчас же очень важно, чтобы эта площадка не начала превращаться в место демонстрации лояльности Кремлю. Необходимо сохранить ее важнейшую характеристику — мостика, где Россия может объяснить ведущим западным и восточным экспертам свою позицию. И нельзя допустить, чтобы эта площадка обвалилась и чтобы на нее перестали приезжать ведущие иностранные эксперты, журналисты и политики. Но это уже профессиональная задача нового агентства «Россия сегодня» — как привлечь их на свою сторону, как убедить в том, что форум не превратится в пропагандистское мероприятие, которое никому по большому счету не интересно.

Трудности перевода

Есть ощущение, что две главных страны мира — Америка и Россия — являются на сегодняшний день также и самыми непонятными друг другу странами. Но если Америка за счет огромной экономики, армии, сильного доллара и т.п. все-таки, не мытьем так катаньем, доводит свою позицию до остальных, то у России такой возможности сейчас нет. Она должна победить интеллектом, если угодно. Интеллектом своей элиты. Но нынешним интеллектом основной массы российской элиты победить никак нельзя. Можно только проиграть очередную холодную войну. А надо сказать, что холодная война — это вообще никоим образом не конек России, мы не готовы к холодным войнам и не способны в них выигрывать. Это не наша модель. Поэтому нельзя опускаться до уровня холодной войны и начинать отвечать тем же самым.

Что же касается «горячей» войны, то, естественно, ни один россиянин в здравом уме и трезвой памяти ее не поддержит, помня историю XX века. Значит, надо искать общий язык — с Западом, с Китаем, с арабскими странами. Нужно учиться терпеливо, точно, без пропаганды объяснять свои национальные интересы. При этом надо знать, кому и как объяснять, что хотят услышать эти люди, а для этого надо быть с ними в постоянном контакте. Именно поэтому прерывание контакта со стороны западных стран представляется страшной глупостью. Наоборот, когда есть кризис, контакт жизненно необходим. Вопрос же не в том, кто кого накажет и поставит в угол. Это бесперспективная политика. Надо разговаривать, надо понимать, что необходимо вырабатывать новые механизмы общения. Особенно на уровне элит и тех слоев, которые формируют политические позиции и общественное мнение.

В разговорах с американцами мы часто слышим: «Как делается бизнес у вас в России? Чтобы иметь дело с российским бизнесменом, надо сначала лично с ним познакомиться, побывать у него дома, пообщаться с семьей, пригласить к себе, потом сходить в баню, выпить — так зарождается доверие. Так почему наши политики не могут так делать? Почему они не могут хотя бы лично дружить, чтобы начать понимать друг друга, разбираться в деталях национального менталитета?» И — добавим от себя — понимать, что значит то или иное слово.

Есть хороший американский фильм, снятый в 2003 году, — «Трудности перевода» (*Lost in Trahslation*). Так вот, отношения России с Западом — это в огромной степени «трудности перевода». Но почему нельзя не переводить все это в политику антагонизма и изоляционизма, а попытаться России пойти навстречу? Да, Запад иногда «не догоняет». Но у России позиция сейчас слабее — не та экономика, не та военная мощь, — поэтому она должна выигрывать интеллектуально.

Кроме того, для России всегда было характерно ощущение собственной справедливости и правды. Наверное, это правильное ощущение. Хотя Америка живет с точно таким же. Читая книги Барака Обамы, ясно видишь, что он искренне убежден в богоизбранности Америки и американского народа, в том, что Соединенные Штаты — это лучшая страна на земле. И любой наш политик из находящихся на самом верху, по большому счету, думает в отношении России так же. Но это означает, что уже есть предмет для разногласий и есть непонимание того, что делать дальше.

Мы, например, начинаем говорить: «Они не понимают, что Крым всегда был русской землей». Но, во-первых, этому «всегда» — меньше 300 лет. А во-вторых — кто-то, кроме нас, об этом знает? С полной уверенностью можем заявить: никто. Почему, например, для американцев эта позиция выглядит не столь убедительной, как для нас, знающих историю и помнящих о крови, пролитой в Крыму во время Великой Отечественной войны? Американцы спрашивают: «А разве Хрущев был не ваш? А Ельцин был не ваш? Вы нас, конечно, извините, но вы же сами разделились! Украина никогда не отбирала Крым у России, не отвоевывала его, правда ведь? Вы сами его дважды ей отдали, а теперь вините во всем Украину. Но это было ваше решение. Почему вы раньше Украине не сказали, что Крым — это ваша земля? Например, в Беловежской Пуще?»

И когда вдруг изнутри ситуации американским политикам, которые вообще не имеют ни малейшего представления о том, что такое Крым и кто там проживает, не знают, что там большинство населения – русские, вдруг говорят, что два миллиона человек хотят присоединиться к России, они спрашивают: «А кто их обижал?» Американцы просто не знают всей долгой истории. Они спрашивают, каким образом можно было обидеть два миллиона человек, то есть подавляющее большинство населения полуострова?

Им отвечают, что Крым был в составе Украины и Украина запрещала, в частности, пользоваться русским языком. Они опять не понимают: «Кто запрещал русский язык? В Крыму ведь в 2014 году было всего шесть украинских и около двух десятков крымско-татарских школ, а остальные школы (почти 600) – русскоязычные. Но главное – никого же не убили?» Начинаешь объяснять, что мы-то знаем всю подноготную, рассказываешь, что в большом почете сегодня на Украине стали бандеровцы. Им это тоже непонятно – какие бандеровцы, помилуйте? Кроме того, бандеровцы боролись и против Сталина и Гитлера, что делает Степана Бандеру, согласно западной историографии, чуть ли не героем.

Выясняется, что у нас просто абсолютно разное представление об истории Второй мировой войны. Ну как объяснить американцам, у которых количество погибших во Второй мировой несравнимо с нашим и которые никогда не вели войну на своей территории, что для нас бандеровец – это, условно говоря, как ку-клукс-клановец для Обамы? Генетическая память совершенно другая. Когда один из соавторов, живущий в Америке, пытается объяснять американцам эти вещи, над ним смеются.

Американцы не понимают, о чем речь, – для них тот же Ку-клукс-клан уже далекое прошлое, мало ли что там было сто с лишним лет назад. Да, действительно, права чернокожего населения были приняты только в 60-е годы XX века, но это уже совсем другая историческая обстановка. Кроме того, ни суд Линча, ни другие притеснения чернокожих даже не приблизились к уничтожению карателями населения советских республик во время Великой Отечественной войны. И когда мы говорим, что на Украине поднимают портреты Бандеры и Шухевича, американцы не понимают, в чем проблема. Надо терпеливо и настойчиво им объяснять – от этого никуда не деться.

Если среднему американцу сказать слово «война», он в первую очередь подумает про Гражданскую войну 1861–1865 годов. У европейцев ассоциация на слово «война» – это Первая мировая, которая для них была гораздо глобальнее и страшнее, чем Вторая. У каждой страны своя национальная память.

Каждый год в США на День независимости (4 июля) на площади перед зданием Конгресса большой военный оркестр исполняет увертюру

П. И. Чайковского «1812 год». Это давняя традиция. И многие простые американцы убеждены, что увертюра «1812 год» посвящена Англо-американской войне 1812–1815 годов (так называемой Второй войне за независимость), когда были сожжены Белый дом и Капитолий, а вовсе не войне России с Наполеоном.

Они вообще очень мало об этом осведомлены, для них это просто очередная европейская война, одна из очень многих. Как и в России мало кому известно про многочисленные войны в обеих Америках – Южной и Северной. При этом в США хорошо знают Наполеона, но связать это все с походом на Россию и сожжением Москвы им в голову не приходит. То есть на самом деле национальное понимание истории – вещь очень специфическая. Как у каждого человека есть своя личная память, так у каждой страны, у каждого народа есть национальная память, которой он дорожит. Естественно, она весьма субъективна.

В Америке эта память достаточно стабильна, в отличие от российской, и при этом совершенно иная. Америка, повторим, на своей территории почти не воевала. Она вообще не понимает всех наших проблем, «наездов» и речей о богоизбранности. Америка не испытывала татаро-монгольского нашествия, ей не приходилось в 1812 году отбивать армии Наполеона. Самая страшная война, которая реально была в Америке, – это война между Севером и Югом, оказавшаяся самой кровопролитной в истории США. Все остальное — можно сказать, «детские забавы». Но и война между Севером и Югом не идет, естественно, ни в какое сравнение со Второй мировой по масштабам и жертвам.

Когда американцам говорят — в связи с теми же событиями на Украине, — что возможна гражданская война, они, кажется, воспринимают это не вполне серьезно. Они не понимают, что такое гражданская война в том смысле, который мы вкладываем в это словосочетание. Им понятен конфликт «плохая власть уничтожает хороший народ», но когда в XXI веке брат идет на брата, это не очень укладывается у них в голове, не воспринимается на личностном уровне. У них нет российского опыта 1918–1920 годов.

Но с чего начинают аргументацию наши политики? Любой наш политик начинает с большевиков и революции 1917 года — так же как экономические достижения в советское время было принято сравнивать с уровнем 1913 года. Такое ощущение, что всем нашим политикам как минимум лет по 150.

У американцев есть еще одно качество, которое важно понимать. Им всегда кажется — это подтверждает их исторический опыт, и они стараются следовать ему в политике, — что на одни и те же грабли можно наступить только один раз. Если ты наступаешь на те же грабли вторично, значит, что-то с тобой не так. У них была одна Гражданская война, одна война за независимость, одна расовая проблема, которая, правда, долго решалась, и т.д. И это отношение американцы переносят на весь мир. Когда в России опять говорят о гражданской войне, они удивляются – как так, она же у них уже была?

А самое главное – им абсолютно непонятен наш ценностный ряд. Представьте себе, что поздние произведения Александра Проханова перевели на английский язык и дали почитать американцам или европейцам. Они же с ума сойдут. Это совершенно другая система понятий и образов.

Американец или европеец предпочитает говорить о простых вещах. «Вы любите свою страну?» – «Любим». – «А почему вы тогда живете так плохо?!» И что мы на это можем ответить? Что мы зато строим небесные эмпиреи? Ну, круто. А живете-то почему так плохо? Это для русского сознания понятно – пострадать сегодня, чтобы завтра было хорошо. Американцу эта логика недоступна. Тем более что «хорошее» завтра в России все никак не наступает...

Американец понимает, что значит совершить подвиг, чтобы защитить свою страну и своих близких от врага. Но почему сегодня должно быть плохо, чтобы завтра было хорошо – это у него в голове не укладывается. Не может растущий сегодня у тебя на грядке сорняк завтра вдруг расцвести клубникой. Если ты делаешь что-то, чтобы потом было хорошо, значит, каждый день должно становиться чуть лучше. Должна быть позитивная динамика. А если ты говоришь, что сегодня ты живешь плохо, завтра еще хуже, послезавтра вообще хана, но зато через пять лет будет просто замечательно, — американец спрашивает: «Почему?»

Попытка России изолироваться из-за невозможности объяснить миру, что мы живем в других терминах и объясняем свою жизнь в других терминах, нанесет ущерб только России. Миру без России будет тяжело. Многие вещи будет очень трудно решать. Но России без мира будет, честно говоря, совсем паршиво. Поэтому мы считаем, что в этой ситуации Россия должна максимально наращивать «мягкую силу» — через кинематограф, устроив свой «Голливуд», через книги, которые российские писатели писали бы не для своей небольшой аудитории, а для всего мира.

А для начала России надо отказаться от бешеного внутреннего снобизма: мол, мы такие прекрасные, но нас никто не хочет понять, а мы при этом являемся воплощением сил добра, правды и справедливости. Да, у нас есть моральное право и моральная сила. Но это моральное право и моральную силу надо донести до окружающих!

Представьте себе Иисуса Христа, который вдруг заявил, что не будет никому ничего объяснять. Что он знает, что прав, но переубеждать никого не собирается. Но ведь и Христос объяснял людям свою божественную правду — через притчи, через самую простую – проще не бывает – форму. Он знал, что иначе его не смогут понять.

Мы же постоянно говорим: «Мы правы, и точка. Всем спасибо, все свободны». – «А почему вы правы?» – «Как почему? Мы Россия, мы всегда правы». Тоже позиция, конечно. Но отнюдь не самая выигрышная. В лучшем случае мы снисходительно цедим: «Ну что вам, бестолковым, сказать-то?» Знаете, какой ответ чаще всего получает от русских американец, который пытается узнать что-то о России? «Ты же американец, все равно ничего не поймешь, чего зря время тратить». А чтобы стало ясно, насколько американец не поймет, заметим, что многие американцы считают Достоевского, Толстого и Чехова американскими писателями. Это уже мировые бренды. А что Россия? У нее всего три глобальных бренда: Путин, «Газпром», «Аэрофлот». И ни один из них не имеет отношения ни к идеологии, ни к культуре, ни к «мягкой силе», ни к продвижению российских интересов в мире.

Кризис системы

Отсутствие точного знания, работающих контактов и устоявшихся информационных потоков, которые позволили бы видеть и предсказывать ситуацию, привело к зарождению кризиса, сравнимого с Карибским. И здесь интересна не только судьба братского украинского народа. К слову, надо отдавать себе отчет, что братья – это не всегда хорошо и мирно: историю Каина и Авеля помнят все.

Что показал украинский кризис? Во-первых, подтвердил давнюю мысль одного из соавторов о том, что ялтинский раздел мира рухнул. Во-вторых, подчеркнул тот факт, что на самом деле ООН – абсолютно неэффективный институт. В частности, Совет безопасности ООН в том виде, в каком он существует сейчас, при возникновении серьезных кризисов оказывается в беспомощном положении. Ведь, если возникает глубинный конфликт, это означает, что затронуты интересы одной из стран-участников Совбеза, обладающей правом вето, – а в этом случае Совбез ничего сделать не может.

Исходя из этого, ни международная позиция в отношении России и Крыма, ни предложенные экономические санкции, ни круг этих санкций уже не кажутся странными. В самом деле, сложно говорить о полномасштабной экономической блокаде, когда Китай и Индия под боком. Европа открыто говорит, что жесткие санкции для нее невыгодны, а в ответ на заявления Соединенных Штатов, что они сейчас всех завалят сланцевым газом, с легким раздражением предлагает посчитать реальное время и затраты.

Важно и то, что принимаемые санкции не являются глобальными. Они не регламентированы соответствующими структурами ООН – Америка даже не ставила в ООН этот вопрос. Это, к слову, показывает, что американцы и сами не верят в возможности ООН, относясь к принятым этой организацией резолюциям скорее как к пиаровскому ходу, чем как к реальному механизму давления.

Конечно, можно пугать Россию полной международной изоляцией, приводя в качестве аргумента голосование Генассамблеи ООН по резолюции о территориальной целостности Украины. Но давайте повнимательнее приглядимся к результатам голосования – и мы сможем сделать несколько иные выводы. Да, позицию России поддержали всего 11 стран. Сто голосов было отдано против – однако важно, что жители этих стран отнюдь не составляют большинства населения Земли. Еще более показательно то, какие страны воздержались или просто не стали голосовать. То, что от осуждения России воздержались Китай и Индия (а это уже колоссальная доля мирового населения), еще можно понять. Но то, что в голосовании не участвовал Израиль, МИД которого в это время бастовал и не отменил забастовку хотя бы на время голосования по такому важному вопросу, – это уже индикатор принципиального изменения позиции.

Иными словами, голосование в ООН зафиксировало определенную потерю экономической и политической мощи Америки – чего как раз и не может простить Бараку Обаме часть элиты внутри страны. Американцы сейчас активно критикуют Обаму за то, что он недостаточно сильный, говорят, что, будь сейчас в президентском кресле Рональд Рейган, он повел бы себя по-другому.

Нынешнее бесполярное состояние миропорядка, повлекшее столь быстрое и не ожидаемое никем изменение национальных границ в Европе, похоже, не устраивает уже никого. События на Украине заставляют сегодня западный политический класс всерьез переоценить опыт холодной войны. Более того, уже сейчас Запад, в первую очередь США, не видя пока других возможностей обеспечения безопасности своих интересов, может вновь вернуться к малопродуктивной попытке построения однополярного мира с мощным военно-политическим евроатлантическим полюсом.

Конечно, такая перестройка займет как минимум пару десятилетий и ляжет малоподъемным грузом на ослабевшую экономику Запада. Однако его политическая решимость в этом вопросе стала расти, да и США извлекли кое-какие уроки из неудачи администрации Джорджа Буша-младшего и будут теперь гораздо более избирательны в выборе объектов для противостояния.

Вспомним времена холодной войны. Как выяснилось, Америка боролась с Советским Союзом отнюдь не просто потому, что там была коммунистическая идеология. После того как американцы победили Советский Союз в этой холодной войне, коммунистическая идеология продолжает процветать в Китае. И никто с Китаем не борется. Никакой холодной войны с ним нет. Значит, Америка боролась всего лишь с другим центром силы. Китай же, несмотря на свою экономическую мощь, политически никогда не заявлял о себе как о другом центре силы. Он не создавал военных блоков, не заводил себе союзников.

Россия же вдруг заявила о себе, в глазах американцев буквально восстав из пепла. То есть, как мы уже сказали, они были уверены, что России уже фактически нет. И вдруг выяснилось, что не только есть – но есть и достаточно мощная армия, способная, по крайней мере, решать задачи, решения которых американцы от нее не ожидали, есть поддержка народа, в том числе за пределами России, есть возникший из небытия военно-промышленный комплекс с ядерным оружием, есть сильный лидер, которого поддерживает элита. И есть очень жесткое представление этого лидера о том, каковы национальные интересы и куда должна следовать страна.

И вот здесь Америка реально «подняла бровь». Это надо понимать как начало новой, абсолютно иной эпохи, в которой самое страшное, что может случиться, – это попытка с российской стороны закидать шапками с криком «а мы не боимся». То, насколько народ подвержен истерии, действительно пугает. По результатам проведенного в России исследования 75% опрошенных готовы идти воевать с Украиной. Украина, со своей стороны, уверена в том, что Россия вот-вот на нее нападет. При этом на Украине не показывают российские каналы, а Запад делает вид, что ничего страшного не происходит. Все это показывает, насколько легко зазомбировать население любой чушью.

Первая реакция американцев и сами санкции, которые были предложены, оказались в высшей степени эмоциональными и непродуманными. Сперва были сделаны заявления, а потом началось действие. Некоторые санкции выглядят направленными лично против Путина, притом ясно показывают, что представления американцев о психотипе Путина неверны. Непонимание характера российского президента и его мотивации приводит раз за разом к совершенно детским ошибкам.

Кажется, что если взять людей из кооператива «Озеро» и применить против них экономические санкции, то они смогут как-то надавить на президента, заставив его изменить свою позицию, — потому что Путин финансово от них зависит и они являются его «кошельками». Другая мысль — она сформировалась давно и с ней пока ничего нельзя поделать, — сводится к тому, что для Путина президентство является источником личного обогащения и он вместе со своей командой грабит Россию. Согласно этой идее, Путин — самый богатый олигарх России, и если отрезать его от финансов, он сам перестанет понимать, что ему делать в Кремле, и тихо уйдет, боясь потерять свои личные деньги. И эта идея нашла свое подтверждение в новой доктрине американского пиара.

Именно поэтому возникли новые требования, обращенные к банкам, в том числе и российским, о предоставлении полной информации о переводе средств. Сработает ли эта тактика в России? Сложно сказать. Но ясно одно: американцы наивно думают, что Путин – человек, озабоченный материальным аспектом. Но, как мы уже отмечали, Путин представляется человеком, который мыслит совсем иными категориями.

Если посмотреть, как живет президент России, становится трудно заподозрить его в том, что он хоть как-то реализует все те баснословные возможности, которые ему приписывают. Это чисто физически нереально. Если уж на то пошло, воровать гораздо удобнее отнюдь не с президентского кресла, что и показывает пример множества действующих и отставных правителей самых разных стран. До конца жизни все они остаются под плотнейшим контролем со всего мира.

Кстати, если уж мы заговорили о кооперативе «Озеро», необходимо отметить, с какой иронией Путин отнесся к запрету для людей из этого списка въезжать в Соединенные Штаты, сказав: «Они меня, оказывается, компрометируют! Надо держаться от них подальше». В Америке немногие на эту фразу отреагировали, а ведь Путин на самом деле не шутил. Хотя это отнюдь не значит, что он забудет своих старых друзей.

Здесь мы хотим пояснить читателю, что такое американский политический истеблишмент. Его можно разделить на две большие группы. Те люди, которые занимаются международной политикой, зачастую, как ни странно, происходят из эмигрантских семей. Они имеют очень опосредованное отношение к настоящей жизни американцев и очень далеки от реального, «старого» политического истеблишмента Соединенных Штатов. При этом отметим, что Барак Обама создал, пожалуй, самую слабую международную команду за всю историю Америки. Яркий пример – ухудшение отношений с Израилем и арабским миром. Все попытки что-то исправить и наладить приводили к тому, что Джона Керри, бывшего до недавнего времени председателем сенатского комитета по иностранной политике, воспринимают в этих странах чуть ли не с зубовным скрежетом.

В последнее время американцы, даже позитивно относящиеся к Обаме, стали говорить, что он не способен даже на то, что сделал Джимми Картер во время Тегеранского кризиса. А Джимми Картер до сегодняшнего дня воспринимался как слабейший в плане внешнеполитических отношений президент Соединенных Штатов. Иными словами, сейчас в глазах американцев Обама слабее даже Джимми Картера – большего унижения для политика государственного масштаба и представить нельзя.

Именно при Обаме процент политических назначенцев в дипломатическом корпусе США зашкалил за все мыслимые пределы. В Америке есть правило «30 на 70», стабильно действующее на протяжении многих десятилетий: 30% послов могут быть политическими назначенцами президента, но 70% должны быть профессиональными дипломатами. Конгресс всегда с этим соглашался, и у каждого президента была такая привилегия — назначать 30% посольского состава, особенно если речь шла о странах, не являющихся принципиально важными. Назначались послами политические доноры, сторонники партии, старые друзья и друзья семьи. Это было нормально.

Барак Обама сломал эту традицию уже во время первого срока, когда процент политических назначенцев дошел до 40, а во время второго срока он стал приближаться к 60. Как следствие — полный непрофессионализм американской внешнеполитической элиты. Послы стали пытаться угадать, что хочет услышать президент, и сообщать ему то, что он хочет, — это же друзья, они ему давали деньги, он их продвигает. В результате администрация США стала одной из самых, скажем так, дезинформированных администраций в мире. Учитывая размах и масштаб влияния Америки, эта дезинформированность оказала крайне негативное влияние на мировой порядок и привела к тому, что Россию политики Соединенных Штатов просчитали полностью неправильно. И, как мы уже сказали, не только Россию — а еще и Израиль, и арабский мир.

Политика, проводимая Обамой, показала, что международным деятелям следует с большой осторожностью доверять обещаниям Соединенных Штатов. Это стало ясно после истории с экс-президентом Египта Хосни Мубараком. Тот казался абсолютно проамериканским политиком, и все же его сдали и никто за него не вступился. То же произошло и с Виктором Януковичем. Не было даже попыток спасти этих людей лично.

Изначально Янукович находился в постоянном контакте с Соединенными Штатами. Он делал все, что ему велели, чтобы, грубо говоря, не попасть в Гаагу, под трибунал. При этом даже речи не шло о вхождении Украины в Таможенный Союз. Фактически со стороны Америки транслировалось подтверждение: «Нам нужен президент Янукович». Но внезапно, буквально на следующий день, Америка заявила: «Пошел вон». Мы ни в коей мере не оправдываем сейчас Януковича. Речь не об этом. Просто надо понимать, что люди, занимающиеся политикой, привыкли всё проецировать на себя. И у них возникает резонный вопрос: «Как можно с вами договариваться, если вы так относитесь к своим обязательствам?»

Ведь если Януковичу что-то обещали, то, в частности, должны были дать и гарантии личной свободы. Он же не случайно сбежал из страны — понимая, что в противном случае его просто убьют. Но, что характерно, сбежал в Россию – а не в Брюссель и не в Лондон. Его не вывез американский вертолет, он, в конце концов, не спрятался на территории посольства Соединенных Штатов – что было бы вполне логичным вариантом, – чтобы досидеть там до конца мая, пока не пройдут выборы. Ситуацию можно было бы разрулить. Но американцы почему-то решили, что «сойдет и так». Это то самое отсутствие внимания к мелочам, которое отличает профессионалов от непрофессионалов.

Но история на этом не заканчивается. Когда тонкий слой дилетантов вызывает проблемы для большой Америки, эта большая Америка медленно, как гигантский авианосец, разворачивается и смотрит – кто это появился на ее радарах, что за новая мишень. Америка никогда не реагирует быстро. Первая реакция не должна вводить в заблуждение. Америка рассчитывает санкции надолго.

Надо понимать, что мы вступаем в период долгих, затяжных, серьезных разговоров и переговоров: шажок налево, шажок направо... Это новая политическая и экономическая реальность. Американцы будут пробовать один за другим разные варианты и смотреть, подействовало или нет, пока не попытаются нащупать наиболее соответствующую на текущий момент их национальным интересам цель. Надо отдать американцам должное – они очень цепкие. Вцепившись, они будут обязательно искать, где тонко, и пытаться там порвать.

Нельзя надеяться на то, что, если первоначальные санкции не сработали, американцы про них забудут. Так не бывает.

К санциям не нужно относиться наплевательски. Действительно, Запад сегодня с удивлением осознал, что его экономика, а особенно банковская система, слишком тесно срослась за эти годы с российской. Дальнейшее нарастание финансовых санкций против России чревато для него потерями, близкими к неприемлемым. Например, к утрате шансов на возврат большей части российского внешнего долга. Однако четверть века экономического эксперимента сделали и Россию очень зависимой от иностранной экономики.

Россия – это уже не Советский Союз, который был по факту абсолютно самодостаточен и всегда мог перейти на натуральный метод ведения хозяйства. Да, конечно, есть Китай, Индия и Латинская Америка. Но надо четко понимать, что, когда мы говорим о высокотехнологичных областях, той же медицине, – можно, конечно, пользоваться индийской, но американская все-таки гораздо лучше.

И это еще одна сторона реальности. Нам много лет говорили, что всем правит рынок, что экономика свободна. И вдруг выяснилось, что эта мечта Егора Гайдара не имеет отношения к действительности. Выяснилось, что люди из Госдепа абсолютно легко могут вызвать представителей инвестиционных компаний и пытаться давать им указания – и никто даже особенно не дернется. Выясняется, что экономика в немалой степени подчиняется политическому окрику. Для российских демократов и либералов это удар, подрывающий основы их представлений. Им казалось, что есть некая мировая экономика, которая живет собственной жизнью, определяя политику. Оказалось, ничего подобного. Полной экономической свободы нет нигде. Есть экономика как одно из средств ведения политической кампании. И сейчас мы можем это на себе испытать в полном объеме.

По некоторым оценкам, в случае жесточайшей экономической блокады, вплоть до прерывания всяких отношений с Европой и Америкой, российский ВВП может упасть на 15%. Это очень много. При этом падение ВВП в других странах составит всего лишь 1%. Да, конечно, этот процент будет распределяться по-разному. Латвию это уничтожит, для Германии создаст колоссальную проблему, будут трудности и у американских компаний, потому что Россия – очень прибыльный рынок. Но, как показывает опыт экономических санкций, если хочется добить, то не остановится никто и никогда. Будут идти до конца.

Надо сказать, что отсутствие полноценных двусторонних бизнес-отношений между Россией и Америкой и так представляло определенную проблему для экономик обеих стран, а тут еще американцы собираются убить даже то, что есть, отодвигая решение задачи еще на 10–20 лет вперед. Это большая ошибка. Не втянув Россию в диалог, не поняв ее, не дав ей объясниться, ситуацию не разрешить. Мы можем снова превратиться во врагов — очень стойких и упорных.

Россия вновь оказывается стоящей на развилке путей. Из сложившейся на сегодняшний день ситуации есть два выхода. Вариант первый: привычная колея неосталинизма. Авторитарность, партия опричников, изоляционизм. Пятьдесят тысяч человек написали Америке «не нужна нам наша виза», уже слышатся крики «не поедем отдыхать в Европу, поедем в Крым». Посыл, кстати, глупейший, потому что, наоборот, в условиях информационной блокады ее надо рвать методами народной дипломатии. Россияне должны ездить по миру, разговаривать, объяснять американцам и европейцам, что у нас на самом деле происходит.

Конечно, многим этот вариант может показаться привлекательным. Чисто психологически он проще. Очень удобно для действующей бюрократии: при авторитарном управлении все вроде бы понятно — вот свои, вот чужие. Знакомая ситуация — нашел врага и во всем обвинил. Можно с легкостью наклеивать обвинительные ярлыки, к примеру, «национал-предатели». Почему, к слову, этого термина так боятся в России? Потому что он моментально вызывает в памяти процессы 1930-х годов.

При всей кажущейся простоте ни к чему хорошему этот путь не приведет. Чем страшны авторитаризм и изоляция? Тем, что они всегда ведут к загниванию, тем более в новых условиях, когда люди уже вдохнули воздух свободы. Разразится тяжелый экономический кризис, государство запустит инфляционный механизм, губернии зададутся вопросом «а нам зачем это надо?», поднимет голову сепаратизм, как региональный, так и конфессиональный и этнический, и в конечном итоге страну разорвет в клочья, как когда-то разорвало Советский Союз. В своих книгах мы неоднократно предупреждали об опасности такого сценария – и она все еще не миновала. Интересно, что Путин, хорошо это осознавая, уже сказал, что не нужно возвращаться к риторике холодной войны – наоборот, следует ее избегать.

Вариант второй – гораздо более сложный. Его использовало, в частности, государство Израиль, которое за свою историю практически постоянно находилось в какой-нибудь блокаде. Суть в том, чтобы создать оазис для бизнеса. В самом деле, у нас есть колоссальные неиспользованные внутренние ресурсы. К примеру, грамотное изменение руководства крупных государственных корпораций типа «Газпрома» и срезание всех неэффективных расходов уже с очевидностью приведет к огромным дополнительным поступлениям в бюджет. Столь же благотворным может оказаться переход на методы глубокой переработки углеводородов.

Необходимо вывести из стагнации малый и средний бизнес, пробудить в народе предпринимательскую активность — желание работать, желание зарабатывать. Но для этой цели надо изменить систему, при которой колоссально раздут штат правоохранительных органов и дикое количество людей занимается непонятной охраной кого-то от чего-то. В России в три раза больше полицейских на душу населения, чем в США. И крайне низкая общая производительность труда. А при низкой производительности труда победить невозможно.

Вспомним экономический энтузиазм населения, начавшийся в конце 1980-х годов и продлившийся в 1990-е. Все эти смешные по нынешним временам кооперативы, челноки, мелкие предприниматели, у каждого свой киоск. Конечно, это было не от хорошей жизни — перед большинством стояла банальная задача прокормить себя и семью. Но люди что-то делали. А сейчас даже этого нет. Просто нет возможностей — сформировалась совершенно другая среда, очень неблагоприятная.

Кроме того, земля в России фактически не является предметом товарооборота. По-прежнему высок уровень коррупции. Нет стимула для технического развития. Никто не поддерживает серьезную науку. Сейчас, с развитием военно-промышленного комплекса, по идее, опять начнутся какие-то разработки, но фундаментальная наука стоит очень и очень дорого, это долгосрочные проекты. Плюс – совершенно упущены огромные возможности русской диаспоры за рубежом. Российская власть никогда этим особо не занималась, в отличие от того же Израиля, который всегда поддерживал диаспору, понимая, что его сила – в тех евреях, которые живут за пределами страны.

Сложность этого второго варианта еще и в том, что он требует обновления элит. На сегодняшний день очевидно, что та элита, которая окружает Путина, подошла к точке полного исчерпания своего потенциала. Эту колоду уже невозможно дальше тасовать. Необходим совершенно иной подход к экономике. Один из видных российских предпринимателей заметил, что у нас очень хорошие министры – каждый в отдельности, – только они почему-то не играют. Скажем больше – в России нет единого правительства, а есть большой набор разных министров, председателей комитетов и директоров разного рода федеральных агентств. Каждый дует в свою дуду. Нужна совсем другая система дирижирования. И нужны другие задачи.

Мы сейчас стоим на пороге новой столыпинской реформы – и речь не о «столыпинских галстуках». Но что в свое время помешало Петру Столыпину? Отсутствие воли у государя императора. Сейчас, если угодно, Путин обладает той волей, которой не обладал Николай II, а сам он по своему потенциалу и симпатиям, как представляется, относится как раз к таким Столыпиным. Но ему нужны три вещи: время, терпение и команда.

Главным достоинством новой команды должны стать не только и не столько личная преданность, сколько эффективность и понимание нового типа задач, новое видение. Нужны профессионалы. Преданные уже есть. Сегодня Владимир Путин пытается соблюсти экономические интересы самых разных элитных групп, создавая правила игры и выставляя ограничения. Но этого недостаточно. Пора искать людей, условно говоря, на 10–20 лет моложе, чем те, которые окружают сейчас Путина, при этом обладающих знаниями и опытом, силой и задором. А еще – знающих мир. Политика изоляционизма опасна еще и тем, что вырастают домашние, очень узко мыслящие политические и экономические лидеры, которые не понимают, как живет остальной мир, и в этом проигрывают. Советский Союз распался отчасти еще и потому, что не нашлось людей, способных сделать рывок. Не произошла вовремя смена элит.

Позитивные наметки есть. Это и смена губернаторского корпуса, и появление в правительстве молодых толковых чиновников на уровне заместителей министров и начальников департаментов. Важно при этом проводить отбор не по политическим, а по профессиональным качествам. И не надо бояться людей, которые действительно знают Запад (или Восток), хорошо к ним относятся и имеют хорошее зарубежное образование.

Предчувствие холодной войны

В самом начале украинского кризиса, когда Крым заявил о своем желании воссоединиться с Россией, в адрес Путина стали слышны крики «*strong man*», «тиран», «диктатор», «новый шериф» и «что он себе позволяет?». Но тут стало ясно, что это как раз работает на репутацию Путина.

Неожиданно выяснилось, что многим американцам нравится «новый шериф». Это вообще в их менталитете – героизировать людей, которые идут против системы, свергают установившиеся правила и порядки. Мы уже говорили, что русский Ермак вполне мог бы стать национальным героем Америки. И вдруг, с помощью самого американского пиар-истеблишмента, в такого начал превращаться Владимир Путин. Безусловно, осознание этого очень сильно ударяет по Бараку Обаме. И когда по приезде в Италию Барака Обаму неожиданно встречают криками «Мы за Путина» – это, конечно, неприятно для Обамы. Зато очень приятно для России и Путина.

Кроме того, многократные заявления Обамы, где подчеркивались тезисы «Россия – всего лишь региональная держава» и «мы не боимся», как раз показали, что, во-первых, не региональная, и во-вторых, есть опасения. Потому что если «региональная и не боимся», то о чем тогда вообще говорить?

Подобная тактика обращения американского истеблишмента к Путину и России вдруг превратила Путина в лидера консервативных политиков всего мира. При этом Путин, бесспорно, является сейчас самым интересным политиком на международной арене. Он единственный, кто смог сломать существующую парадигму.

Впервые за долгие годы России удалось распространить свое влияние. Когда такое было в последний раз, чтобы народ пришел и сказал: «Мы хотим жить с вами, пожалуйста, примите нас под свое крыло», – века назад! Именно поэтому это настолько странный и тяжелый опыт для Америки. У них есть похожий пример – Пуэрто-Рико, но эта территория так и не стала частью Америки, хотя пуэрториканцы на референдуме проголосовали «за». Однако Америка об этом кокетливо молчит. В случае с Крымом два миллиона человек, проживающих на гигантской территории, стратегически выгодно расположенной, на полном серьезе заявили о своем желании быть с Россией.

В глазах каждого россиянина этот факт, во-первых, выглядит сродни объединению Восточной и Западной Германии – разделенный народ вновь становится одним целым. Во-вторых, это восстановление исторической справедливости. В-третьих, мы являемся свидетелями уникального исторического события. Когда последний раз были присоединения? При Александре II? Мы вдруг обнаружили, что, оказывается, мы что-то делаем правильно. Мы же постоянно в себе сомневаемся. Мы привыкли к тому, что Россия – непривлекательная страна, что мы по большому счету никому не нужны. А оказалось – нужны. Нужны двум миллионам крымчан. И все это, повторим, надо терпеливо и долго объяснять международному сообществу.

Нынешняя политика Америки, направленная на изоляцию России, возможно приведет не только к возрождению многополярного или биполярного (Китай) мира, но и к созданию новых военно-политических союзов – а ведь именно этого Америка пыталась избежать. Ведь была когда-то феноменальная идея, от которой американцы напрасно отказались, – включить Россию в НАТО. Это сразу решило бы множество проблем. Владимир Путин эту идею поддерживал. Можно с сожалением вспоминать, как Запад несколько лет назад просто проигнорировал предложения Москвы, высказанные тогда президентом Дмитрием Медведевым, по европейской системе безопасности. И тот же Путин в свое время говорил об общеевропейском пространстве от Владивостока до Лиссабона. А теперь Путин заявляет: мы Россия. У которой слева Европа, а справа Азия.

В условиях, когда ни одна страна мира не в состоянии самостоятельно решить проблему обеспечения своей стратегической безопасности, Россия может столкнуться с этой практически невыполнимой и чрезвычайно дорогостоящей необходимостью. В реальности Россия скоро может оказаться один на один со своими угрозами, от террористических и демографических до экологических и технологических. Конечно, одновременно окажутся сильно ослабленными восточные и юго-восточные границы зоны европейской безопасности, где неизбежно возникнет зона постоянного напряжения, но такая ситуация, на радость западным «ястребам», реально реанимирует НАТО.

Один из авторов книги неоднократно говорил представителям высшей вашингтонской элиты, что с Путиным не надо идти на конфронтацию, его надо душить в объятиях, принимать его. В России опять сложилась ситуация, когда правительство и президент — «главные европейцы», и вместо Путина могут прийти люди только хуже — настоящие национал-шовинисты.

Американцы этого не понимают. Им кажется, что, если сейчас избавиться от Путина, будет лучше. Но посмотрите на Египет, посмотрите на Ливию, посмотрите на Ирак. Нигде первоначальные планы, которые строила Америка, не осуществились. И тем не менее Соединенные Штаты упорно продолжают следовать прежним курсом, не задумываясь о его ошибочности. Почему? Потому что в последнее время международной политикой в Америке занимаются люди, которые отнюдь не относятся к ней как к основному приоритету.

Сегодня Путин чувствует себя в одиночестве. Российская элита, наперебой повторяющая, что он прав, в то же время неспособна оказать ему поддержку в интеллектуальном плане. Провластный Запад от него отворачивается. Фраза, над которой все хихикали, что «после Ганди и поговорить не с кем», оказывается очень верной. При всем том за Путиным стоит огромная страна, которая хочет вождя. Ей тоже не надо ничего объяснять – страна за него. И что он должен делать в такой ситуации? Заводить разговоры о демократии?

Если Россия выглядит страной вождистской – а это так, – то нужно разбираться, почему. Да, есть огромный запрос на лидера. Но почему-то на Западе тоже подстегивают этот запрос, загоняя Россию в такие рамки, в которые были поставлены и Германия после Первой мировой войны, и Ирак, и Ливия – когда систему невозможно создать, элиты нет, лидер страны является «главным европейцем», при этом на Западе его не любят и пытаются изолировать. Неужели Америка и Запад в целом снова будут наступать на те же грабли?

В этом нам видится одна из главных ошибок современного мирового развития. Да, Россия –

страна разноплановая, многонациональная, многоконфессиональная, вождь имеет здесь огромное значение и влияние, плоская система управления государством не создана. Но зачем весь окружающий мир пытается поддерживать эту модель в России, при том что сама Россия пытается из нее выбраться?

Ясно, что мы стоим на пороге охлаждения отношений. Ясно, что Америка фактически заставляет Путина стать, если угодно, лидером ледникового периода. Ясно, что при этом Россию и Путина разворачивают на восток, допуская серьезнейшую стратегическую ошибку. Вместо того чтобы создавать центр силы, включающий Россию и Европу, противостоящий Китаю и являющийся союзником Америки, Америка и Россия, похоже, выбирают для решения своих внутриполитических проблем, в частности избирательных, путь холодной войны. Который приведет к тяжелейшим последствиям.

В случае падения России в самом центре Европы образуется неуправляемое и неконтролируемое посттехнологическое общество с колоссальным количеством ядерного оружия, химических заводов, атомных электростанций, которое может превратиться в зону такого бедствия, что извержение Йеллоустонского вулкана покажется малозначительным инцидентом. Напомним, что относительно локальный взрыв Чернобыльской АЭС аукнулся аж Швеции. Но и Чернобыль –

пустяк по сравнению с теми трагедиями, которые могут развернуться.

Другой вариант, почти столь же страшный, — если Россия всю свою ресурсную мощь направит на союз с Китаем и поддержку Китая. История показывает, что россияне готовы пойти на очень большие экономические жертвы ради решения политических задач. Китай сегодня выглядит единственной силой, способной бросить реальный вызов однополярному миру по-западному.

При этом, учитывая гигантские американо-китайские экономические связи, неочевидно, что Пекин захочет вступать с Западом в военно-политическое, но экономически убыточное противостояние. Нет оснований и ожидать военного союза России и Китая. Пекин не раз давал это понять, даже в рамках Шанхайской организации.

Запад, безусловно, останется для России центром огромного политического, идейного, культурного и технологического притяжения, в то время как Китай уже сегодня является для нее все более мощным центром притяжения экономического. В ближайшие четверть века Россия рискует оказаться в положении нынешней Украины, раздираемой между двумя глобальными центрами, особенно если российская экономика, на которую лягут неизбежные в такой ситуации огромные военные расходы, будет оставаться экономикой энергоресурсов, а разница в уровне жизни между регионами страны будет расти. России необходимо избежать этой участи.

Что интересно, путь холодной войны, который сегодня вполне реален, — это не идеологическая война. По большому счету Владимир Путин ничем идеологически не отличается от Барака Обамы — он не коммунист, не фашист, не националист. Вполне рыночно-либеральный политик. Да, он патриот своей страны — но и Обама патриот своей страны. Отличие — в моральном кодексе, то есть не идеологическое, а скорее этическое. Холодная война, которая сегодня надвигается на мир, не будет войной идеологий. Это будет война моральных принципов. А это очень опасно, потому что уже близко к религиозным войнам. Это спор по поводу фундаментальных понятий, а не соревнование двух социально-политических систем, как принято было говорить 30 лет назад.

Впервые в новейшей истории Запад попытался навязать остальному миру ценности, лежащие на уровне национального кода. Если коммунистическая идеология все же не входила в национальный код россиян, то семейные ценности и религиозные представления как раз относятся к этой сфере. Именно поэтому, как мы уже говорили, водораздел мейнстрима и оппозиции проходит по странной траектории отношения к «Пусси Райот» и гей-парадам.

Иными словами, нас, возможно, ждет не та холодная война, которая была устойчивым и даже комфортным для многих 50-летием XX века. Это уже действительно фундаментальное, говоря словами Сэмюэла Хантингтона, «столкновение цивилизаций». И отступить здесь не сможет никто. Невозможно изменить свои базовые ценности — тот самый национальный код. Можно поменять идеологию, можно поменять свое отношение к собственности. Но фундаментальные ценности, которые были вложены десятками поколений предков, ни американцы, ни россияне не изменят. Нужно искать какой-то компромисс — а компромисса со стороны Запада пока не видно.

Впрочем, не видно его, честно говоря, и со стороны России. Россия говорит: «Минуточку, мы-то на стороне добра — потому что за нами Книга. А вы на стороне зла, потому что вы за содомию». А эта мотивация не подразумевает никакой дискуссии. Это уже не политика. Здесь уже можно начинать говорить о своего рода современном крестовом походе.

Мораль гораздо важнее любой идеологии. Мораль — это очень личные, очень устойчивые, выработанные веками качества, характеристики и критерии, на которых базируется общество. Идеология меняется даже в течение жизни одного человека: пока ты молод — ты радикал, к старости становишься консерватором, это нормально. Но сейчас речь идет о принципах, впитавшихся в кровь и плоть. Если мир снова начнут делить, как было в Средневековье, по этим глубинным характеристикам, то мы фактически возвращаемся к эпохе крестовых походов и разного рода религиозных и псевдорелигиозных войн. Это надо хорошо понимать. И в этом опасность сегодняшней ситуации.

* * *

Русская весна робко, но наступает. Россия, похоже, пробуждается. Не очень пока понятно, что это значит и для нее самой, и для всех остальных. Как это пробуждение воспримут Запад и Восток? Да и главный вопрос до сих пор остается открытым. Приведет ли эта несколько неожиданная для мира русская весна к лету, к потеплению и расцвету всего, что может расцвести, к солнцу и свободе, или же мы вернемся в мир внутреннего, российского, и внешнего, глобального, ледяного противостояния, который будет гораздо страшнее, чем тот, который знали наши отцы и деды в период холодной войны? Как видит читатель, авторы уже завели начальный разговор на эту тему, определили исходные позиции, возможности и ограничения. Но, похоже, все только-только начинается. Обо всем этом — наша следующая книга, над которой мы уже начали работать.

Оглавление

От авторов 5

КОНЕЦ ТАНДЕМА 6

Рокировка 6

Куда податься бизнесмену в России? 16

Тандем: Неудачный эксперимент 25

Политический перформанс 32

Перегретые ожидания 40

СТРАНА ВОЖДЕЙ 45

Вождизм в политической культуре России 45

Зачем нужна идеология 60

Российская государственность:
Механизм со смещенным центром тяжести 69

ЗЕРКАЛО ДЛЯ РОССИИ 75

В поисках героя 75

Коллективный Афоня 83

Непонятая Россия 88

ДВА «ВАЛДАЯ» 97

2011 год: Возвращение президента 97

2013 год: Все мы родом из СССР 111

ПУТИН – ПРЕЗИДЕНТ ЦЕННОСТЕЙ 126

Мы знаем, кто вы, мистер Путин! 126

Ручное управление 133

Мессианство как политический фактор 144
Воспитание единства .160

ОБЩЕСТВО И ВЛАСТЬ:
ДВЕ СТОРОНЫ ОДНОЙ МЕДАЛИ 172
Россия: Ментальность подвига 172
Общественный договор мелким шрифтом 182
Зачем власти оппозиция? 190

ВЫБОР ПУТИ 203
Украинские уроки 203
Империя: Прошлое и будущее 216
Россия меняет курс 233
Крым: История с географией 245

ВЕСНА ИЛИ НОВЫЙ ЛЕДНИКОВЫЙ ПЕРИОД? .253
Новый мир, новые порядки. 253
Россия, которой нет 263
Трудности перевода 280
Кризис системы 289
Предчувствие холодной войны 307

Массово-политическое издание

СОЛОВЬЕВ ВЛАДИМИР:
ПРОВОКАЦИОННЫЕ КНИГИ ИЗВЕСТНОГО ВЕДУЩЕГО

Соловьев Владимир Рудольфович
Злобин Николай Васильевич

РУССКИЙ ВИРАЖ. КУДА ИДЕТ РОССИЯ?

Ответственный редактор *Э. Саляхова*
Литературный редактор *А. Никитина*
Младший редактор *А. Михеева*
Художественный редактор *С. Курбатов*
Технический редактор *О. Лёвкин*
Компьютерная верстка *М. Белов*

ООО «Издательство «Эксмо»
123308, Москва, ул. Зорге, д. 1. Тел. 8 (495) 411-68-86, 8 (495) 956-39-21.
Home page: **www.eksmo.ru** E-mail: **info@eksmo.ru**

Өндіруші: «ЭКСМО» АҚБ Баспасы, 123308, Мәскеу, Ресей, Зорге көшесі, 1 үй.
Тел. 8 (495) 411-68-86, 8 (495) 956-39-21
Home page: www.eksmo.ru E-mail: info@eksmo.ru.
Тауар белгісі: «Эксмо»
Қазақстан Республикасында дистрибьютор және өнім бойынша
арыз-талаптарды қабылдаушының
өкілі «РДЦ-Алматы» ЖШС, Алматы қ., Домбровский көш., 3«а», литер Б, офис 1.
Тел.: 8 (727) 2 51 59 89,90,91,92, факс: 8 (727) 251 58 12 вн. 107; E-mail: RDC-Almaty@eksmo.kz
Өнімнің жарамдылық мерзімі шектелмеген.
Сертификация туралы ақпарат сайтта: www.eksmo.ru/certification

Сведения о подтверждении соответствия издания согласно законодательству РФ о техническом регулировании можно получить по адресу: http://eksmo.ru/certification/

Өндірген мемлекет: Ресей
Сертификация қарастырылмаған

Подписано в печать 30.04.2014. Формат 84x108 $^1/_{32}$.
Гарнитура «Bazhanov». Печать офсетная. Усл. печ. л. 16,8.
Тираж 15 000 экз. Заказ 8613.

Отпечатано с электронных носителей издательства.
ОАО "Тверской полиграфический комбинат". 170024, г. Тверь, пр-т Ленина, 5.
Телефон: (4822) 44-52-03, 44-50-34, Телефон/факс: (4822)44-42-15
Home page - www.tverpk.ru Электронная почта (E-mail) - sales@tverpk.ru

ISBN 978-5-699-73222-7